Gatos
sanos y felices

> **Autora: Katrin Behrend** | Con fotos de varios especialistas en la fotografía de animales domésticos

Indice

Un hogar feliz

Sano y en forma

Actividades

Apéndices

HISPANO EUROPEA

Un hogar feliz

De animal salvaje a animal doméstico

La domesticación del gato se inició hace unos 4.000 años, es decir, mucho más tarde que la de los demás animales domésticos. No se sabe a ciencia cierta cómo se inició su relación con el hombre. Una de las teorías más difundidas afirma que los gatos egipcios del norte de África *(Felis libyca),* que son unos animales delgados con grandes orejas y una cola muy larga, se sintieron atraídos por la abundancia de ratones que había en los silos de grano de los egipcios y se quedaron a vivir en las proximidades del hombre. Por lo tanto, fueron ellos los que decidieron acercarse a la gente y convertirse en animales domésticos, y esto hizo que en el Egipto antiguo se les elevase a la categoría de dioses y se prohibiese sacarlos del país. Pero el éxito del gato ya era imparable. En los últimos años, su popularidad como animal doméstico incluso ha llegado a superar la del perro. De todos modos, sigue siendo relativamente independiente y la única actividad «útil» que se aviene a realizar es la de cazar roedores. Al contrario de lo que sucede con todos los demás animales domésticos, los gatos nunca han sido criados o entrenados con otra finalidad y siguen conservando casi todas las características de sus antepasados africanos. Y es muy importante tenerlo en cuenta para poder entender bien su carácter.

¿Puedo tener un gato?

Tanto si alguna de sus amistades ha tenido una camada de gatitos y está buscando a alguien que quiera adoptar alguno, como si usted se siente atraído por la elegancia y la belleza de determinada raza, antes de decidirse a traer un gato a casa es necesario que sea sincero consigo mismo y

Al gato le encanta que lo acaricien. Pero también será él quien determine el final de la sesión de mimos.

se asegure de que está en condiciones de hacerlo (vea el test que aparece al lado).

➤ Los gatos pueden vivir de 15 a 20 años, y durante este largo periodo de tiempo necesitarán que usted esté por ellos.

➤ Si se decide por un gato de raza es posible que tenga que pagar un precio un poco elevado, pero tenga en cuenta que éste no será el único gasto, sino que hay que sumar los del alimento, accesorios, veterinario, residencia para las vacaciones, etc.

➤ A los gatos no les sienta muy bien cambiar con frecuencia de domicilio por traslados laborales, etc. ¿Cómo lo tiene usted?

➤ Los gatos son animales muy independientes, pero tampoco les gusta pasarse todo el día solos. Esto les puede ocasionar trastornos de conducta y enfermedades de origen psíquico. Si su trabajo le obliga a estar muchas horas fuera de casa será mejor que consiga dos gatos desde el primer momento. Así se darán compañía mutuamente.

Hay que registrar al gato

Si pierde un gato le será mucho más fácil encontrarlo si lo tiene debidamente registrado. Además, con esto impide que

Test: ¿Me llevaré bien con un gato?

	Sí	No
1. ¿Soportaría encontrar pelos en la alfombra o en el sofá?	☐	☐
2. ¿Toleraría encontrar huellas de gato en su sofá o en el mantel?	☐	☐
3. ¿Estaría dispuesto a compartir su sillón favorito con su gato?	☐	☐
4. ¿Disculparía a su gato si lo despierta a primera hora de la mañana?	☐	☐
5. ¿Felicitará y acariciará a su gato cuando le traiga como regalo el ratón que acaba de cazar?	☐	☐
6. ¿Estaría dispuesto a no poner la música a todo volumen ni llevar una vida demasiado desordenada para que su gato viva mejor?	☐	☐
7. Al planificar las vacaciones, ¿tendría en cuenta a su gato?	☐	☐
8. ¿Puede dedicar unas horas fijas del día a jugar con su gato?	☐	☐

Si ha contestado afirmativamente a todas las preguntas no hay duda de que usted ha nacido para vivir con un gato... y el felino será muy feliz a su lado. Si ha respondido negativamente a tres o más preguntas, será mejor que se plantee seriamente si de verdad quiere tener un gato.

el gato pueda ser capturado por desaprensivos o que vaya a acabar sus días como animal de laboratorio.

Al registrar al animal recibirá una identificación y un certificado internacional en el que constará su raza, fecha de nacimiento, sexo, nombre, color y características propias, así como el número del tatuaje o del microchip. De esta forma el animal puede ser identificado en cualquier momento. Tanto el tatuaje como el transpondedor (microchip) son cosas del veterinario y conviene hacerlo cuanto antes. El tatuaje se realiza en las orejas y en la cara interna de una pata trasera. El microchip se inyecta en la piel del cuello y se puede captar con un lector especial.

Razas de gatos

Con el paso del tiempo, las mutaciones espontáneas, el cruce de razas y la reproducción selectiva han dado lugar a una gran diversidad de razas de gatos. Uno de los caracteres distintivos más notorios es la longitud de su pelo.

➤ *Un pequeño gatito, ¡y con unos ojos tan grandes!*

Clasificación de las razas

A las razas de gatos podemos dividirlas en tres grandes grupos: razas de pelo largo, razas de pelo medio y razas de pelo corto. En la mayoría de las razas podemos encontrar diversas coloraciones y dibujos (actualmente hay más de 200 variantes), por lo que la oferta es muy amplia. Hay gatos de un solo color, de varios, «colourpoint», «smoked», «shaded», manchados, etc. El color de los ojos también varía de una raza a otra y a veces incluso de una camada a la siguiente, puede ser naranja, cobrizo, verde, azul, incluso uno de cada color («odd eyed» = un ojo azul y el otro naranja).

Pelo largo: En esta categoría entran únicamente los gatos persas, cuyo pelo largo, denso y sedoso puede llegar a medir hasta doce centímetros. Tienen un cuerpo macizo, patas cortas pero fuertes, cabeza redonda, orejas pequeñas, ojos grandes y redondos, y una nariz corta y chata con la característica depresión entre su punta y la frente.

Pelo medio largo: Su manto largo y uniforme está formado por pelos de hasta cinco centímetros y una capa inferior lanosa y más corta (que falta en algunas razas). En esta categoría se incluyen razas tan impresionantes como las Maine Coon o Ragdoll, pero también otras más exóticas, como el Angora turco, el Van turco, el Burmés, el Balinés y el Somalí.

SUGERENCIA

Tecnicismos acerca de las razas felinas

➤ «Points»: zonas de la cara, orejas, patas o cola cuya coloración es más oscura que la del resto del cuerpo.

➤ Variedad de color: ejemplares de una misma raza con el mismo color de pelo.

➤ «Shaded»: pelo de color bastante oscuro pero más claro que el «Smoked».

➤ «Smoked»: pelo de un tono predominantemente oscuro, sólo su base es de color blanco plateado.

➤ «Ticking»: franjas oscuras en cada pelo.

➤ «Tipping»: Pelos claros con la punta negra.

> *Los gatitos suelen ser bastante confiados y su curiosidad los impulsa a lanzarse a lo desconocido. Apenas saben nada acerca de los peligros a los que se exponen.*

Pelo corto: Lo único que tienen en común es el pelaje corto, pues su constitución puede ser desde compacta y robusta hasta estilizada y elegante. También pueden diferenciarse por la estructura del manto, y éste puede ser, denso, sedoso, rizado (como en los gatos Rex), etc. Entre los gatos de pelo corto encontramos a las razas Abisinia, Bengalí, Europeo e Inglés de pelo corto, Burmés, Cartujo, Azul ruso, y Tonkinés. Las razas orientales (Siamés y Oriental de pelo corto) se caracterizan por tener una cabeza alargada y un perfil recto.

Estándares de las distintas razas

Además de su aspecto externo, cada raza posee un carácter propio cuyas particularidades pueden ser definitivas a la hora de convivir con el animal. Las características propias de un ejemplar «ideal» de una raza están definidas en lo que conocemos como estándares. En estos se define con precisión tanto el aspecto externo como el carácter deseable en el animal. Y es muy importante que tenga en cuenta todas estas características para evaluar si el animal se adapta o no a la convivencia que usted espera establecer con él. Es decir, que si usted es una persona tranquila y relajada será mejor que no elija un gato demasiado nervioso, inquieto y exigente. Por el contrario, si en su casa hay mucho movimiento y mucha actividad necesitará un gato que se adapte a estas circunstancias.

A continuación veremos doce de las razas más apreciadas, pero se trata de descripciones muy superficiales. Si le interesa saber más acerca de alguna de ellas será mejor que se ponga en contacto con los criadores (puede encontrar muchos en Internet).

Abisinio

➤ **Cariñoso + vivaz**

Origen: El gato abisinio es una de las razas más antiguas y, por su similitud con los actuales gatos egipcios, se supone que desciende de los gatos de los faraones.

Morfología: Talla media, estilizado, elegante. Extremidades largas. Cabeza ligeramente puntiaguda, orejas relativamente grandes. Ojos muy expresivos de color verde a dorado.

Manto: Corto, denso, con un ticking característico. Además del color salvaje original, actualmente también se reproduce en azul, Sorrel, leonado y plateado.

Carácter: Cariñoso, abierto, inteligente. Le encanta trepar y jugar. Puede ser un poco incordiante. Se lleva bien con gatos de otras razas.

Adecuado para: Personas que le puedan dedicar mucho tiempo y atenciones.

Bengalí

➤ **Curioso + dependiente**

Origen: Esta raza fue obtenida en Estados Unidos en la década de 1960 cruzando el gato salvaje de Bengala con un gato doméstico.

Morfología: Cuerpo grande, estilizado y musculoso. Cabeza alargada; orejas medianas con las puntas redondeadas. Ojos ovalados y expresivos de color ámbar a verde.

Manto: Pelo corto, denso, fino y compacto. Manchas marrones a negras sobre un fondo de color beige a rojizo anaranjado. Cola larga con dibujo marcado y punta oscura.

Carácter: Curioso y vivaz, trepa mucho. Inteligente, dependiente.

Adecuado para: Personas que desean un gato activo y exigente, y están dispuestas a cuidarse mucho de él.

Sagrado de Birmania

➤ **Juguetón + paciente**

Origen: El adjetivo de «sagrado» lo debe a la leyenda según la cual el alma de un sacerdote budista asesinado en un templo de Birmania se reencarnó en este animal. Pero lo más probable es que esta raza se originase en Francia como consecuencia de un cruce entre gato siamés y gato europeo de pelo corto.

Morfología: Fuerte y musculoso. Patas robustas; característica especial: tiene las manos blancas. Ojos de color azul luminoso.

Manto: Pelo largo o medio; sedoso. «Points» como los del siamés sobre fondo claro.

Carácter: Su temperamento es una mezcla de la vivacidad del siamés y la tranquilidad del persa. Es cariñoso y le gusta que lo cuiden. Se lleva bien con los demás animales domésticos.

Adecuado para: Familias con niños, porque tiene mucha paciencia y le gusta jugar.

Inglés de pelo corto

➤ **Equilibrado + robusto**

Origen: El gato inglés de pelo corto es un cruce de gato inglés doméstico y gato persa. La variedad azul se parece mucho al francés Chartreux.

Morfología: Robusto y tamaño de medio a grande. Patas fuertes, cola gruesa y de longitud media. Cabeza ancha con mejillas llenas, orejas pequeñas. Ojos grandes y redondos de color naranja oscuro a cobrizo.

Manto: Pelo corto y muy denso. Uno o varios colores, gran variedad de coloraciones; desde hace poco existe también una variedad «Colourpoint».

Carácter: Fuerte y sin complicaciones. Amistoso, independiente, equilibrado, adaptable. Cariñoso.

Adecuado para: Familias con niños y otros animales domésticos. Gato doméstico ideal.

Burmés

➤ **Inteligente + curioso**

Origen: La variedad original procede de Birmania. Pero la raza actual fue obtenida en Estados Unidos en la década de 1930 cruzando una hembra burma con un macho siamés.

Morfología: Tamaño medio, estilizado y musculoso. Cabeza ligeramente alargada, salto freno-nasal acentuado. Ojos muy separados, grandes y de color amarillo, de claro a ámbar. Diversas coloraciones.

Manto: Corta, brillante, sedosa, lisa. Características típicas: parte inferior del cuerpo ligeramente más clara que las patas y el dorso. Diversas tonalidades.

Carácter: Sociable, le gusta llevar la batuta en todos los juegos. temperamental y curioso. Apropiado para llevarlo de viaje, le encanta ir en coche.

Adecuado para: Personas que quieran un gato inteligente y noble y que puedan dedicarle mucho tiempo.

Maine Coon

➤ **Fácil de cuidar + sociable**

Origen: Este gato probablemente desciende de los ejemplares de pelo medio largo que los navegantes llevaron a América y que allí se cruzaron con los gatos autóctonos. La raza surgió de forma espontánea en el estado norteamericano de Maine.

Morfología: Grande, robusto, musculoso: patas largas. cabeza grande con hocico afilado. Orejas grandes y peludas. Ojos grandes y redondos.

Manto: Pelo medio largo, denso, repele el agua. Pelaje muy denso en el cuello y en las extremidades posteriores. Todos los colores y dibujos excepto los del siamés.

Carácter: Equilibrado, sociable y tranquilo. Inteligente.

Adecuado para: Personas que busquen un gato de pelo medio largo, robusto, fácil de cuidar y que se lleve bien con los niños.

→ necesita una actividad media   ▤ necesita mucha actividad

Bosque de Noruega

➤ **Juguetón + mimoso**

Origen: Es una raza considerada como «natural» y que se desarrolló en Noruega al cruzarse los gatos autóctonos de pelo corto con los gatos de pelo medio largo traídos por los navegantes.

Morfología: Grande, fuerte, sedoso; patas largas. Cabeza de forma triangular con una barbilla muy marcada. Orejas grandes con base ancha y penachos de pelos.

Manto: Pelo largo y denso, collar muy espeso, repele el agua. Todo tipo de coloraciones excepto la del siamés.

Carácter: Cariñoso, juguetón. Equilibrado, le gustan los mimos. Vivaz, muy trepador. Dado que es un animal muy sociable no vive bien solo.

Adecuado para: Familias con niños que deseen un gato de pelo medio largo robusto y sin complicaciones. Es «impermeable».

Persa

➤ **Pacífico + mimoso**

Origen: Esta raza se obtuvo en Inglaterra cruzando probablemente el angora turco con otras razas de gatos domésticos, obteniéndose un animal de cuerpo compacto, cabeza grande y rostro achatado.

Morfología: Grande, rechoncho, fuerte. Cabeza ancha, nariz chata, stop marcado. Ojos grandes y luminosos. Gran variedad de colores.

Manto: Es la raza de gatos con el pelo más largo. Pelaje muy denso con tendencia a apelmazarse. Más de 200 colores y dibujos distintos.

Carácter: Tranquilo, mimoso, resistente. A veces también puede ser muy temperamental.

Adecuado para: Personas que deseen una raza majestuosa para tener en casa y que dispongan de tiempo para cepillarlo y peinarlo a diario.

Ragdoll

➤ **Tierno + paciente**

Origen: Esta raza es bastante reciente y parece que se obtuvo en California mediante el cruzamiento de persas, «Bicolour» y «Colourpoint» así como burmas.

Morfología: Talla mediana a grande, robusto y musculoso. Cabeza afilada. Nariz ligeramente arqueada, orejas con penachos de pelos, ojos grandes y de un color azul luminoso.

Manto: Pelo medio largo y sedoso. Las variedades reconocidas son: Colourpoint, bicolor y Mitted (con pies blancos).

Carácter: Es un gato muy dulce, tranquilo y paciente. Juguetón. Silencioso y relajado. Ideal para tenerlo en casa porque no le gusta mucho salir al exterior. Al levantarlo se deja colgar totalmente relajado.

Adecuado para: Familias con niños, otros gatos y más animales domésticos. Es muy sociable, paciente y tolerante.

Siamés

➤ **Expresivo + sensible**

Origen: El libro de gatos más antiguo que se conoce procede de Siam (actual Tailandia) y en él se describe un gato de color claro con manchas oscuras. Los gatos siameses llegaron a Europa en el siglo XIX y fueron expuestos en Londres en el año 1871.

Morfología: Esbelto, extremidades estilizadas, cabeza puntiaguda, nariz recta y larga, orejas grandes, ojos azules.

Manto: Liso, pelo muy corto, sin pelusa inferior. Diversos colores, fondo claro con trazos oscuros en la cabeza, las patas, el dorso y la cola.

Carácter: Muy temperamental, activo e inteligente. Siempre quiere ser el centro de todo y es muy expresivo.

Adecuado para: Personas con un cierto sentido para los gatos y con experiencia. Es muy sensible y necesita que estén mucho por él.

Somalí

➤ **Activo y juguetón**

Origen: Esta raza se ha obtenido por reproducción selectiva a partir de los gatitos de pelo largo que ocasionalmente aparecen en las camadas del gato abisinio.

Morfología: Tamaño medio, bien proporcionado. Cabeza puntiaguda, orejas grandes, anchas y bastante separadas. Ojos grandes y expresivos de color ámbar o verde.

Manto: Muy suave, denso, de longitud media, con doble capa. Cola larga y peluda. Colores como el abisinio (ver pág. 10).

Carácter: Muy juguetón, vivaz, curioso, cariñoso y muy compatible con otros gatos. Disfruta trepando y saltando.

Adecuado para: Personas que desean un gato temperamental pero equilibrado. Necesita mucha dedicación y cuidados.

Van turco

➤ **Tozudo + inteligente**

Origen: Esta raza procede de las zonas montañosas que rodean al lago Van, en el Kurdistán turco.

Morfología: Tamaño medio, musculoso. Cabeza triangular con orejas grandes y muy peludas. Ojos ovalados y en posición ligeramente oblicua, de color ámbar, azul, u «odd eyed».

Manto: Pelo de longitud media, sedoso y sin lana inferior. El color de fondo es blanco. Cola y manchas de la cara de color castaño rojizo o crema.

Carácter: Muy temperamental, activo, juguetón y curioso. Puede convivir con otros gatos, pero le gusta ser él quien lleve la voz cantante. Le gusta meterse en el agua.

Adecuado para: Personas que deseen tener un gato un poco tozudo y se adapten a él. Necesita una dedicación incondicional.

¿Qué gato es el que más me conviene?

Después de planteárselo muy seriamente (ver pág. 7) ha decidido que va a compartir su vida con un gato. Ahora, de lo que se trata es de elegir el minino más adecuado para usted.

> Niños: los compañeros de juego ideales para los gatos.

¿Gata o gato?
A pesar de que el sexo no implica ninguna diferencia en el carácter del animal, hay un par de detalles que deben ser tenidos en cuenta:

➤ Las gatas alcanzan la madurez sexual entre los 6 y los 12 meses de edad. A partir de ese momento entran en celo dos o tres veces al año y pueden aparearse. Si la gata sale de casa cuando le apetece, puede criar con esa frecuencia. Si vive dentro de casa y no tiene un compañero, el celo es más largo y puede ser un poco estresante.

➤ El macho alcanza la madurez sexual a los nueve meses y empieza a marcar su territorio con orina. Si lo hace dentro de casa, el olor es muy molesto.

Consejo: Los animales castrados ya no tienen conducta sexual, por lo que todos estos problemas quedan erradicados para siempre (ver pág. 32).

¿Uno, dos o más gatos?
Suele decirse que los gatos son animales solitarios, pero lo cierto es que les gusta estar en compañía. Si su dueño puede dedicarles cierto tiempo, para ellos ya es suficiente. Si usted tiene un trabajo de media jornada y pasa el resto del tiempo en casa el gato se sentirá feliz. Lo importante es que mantenga un horario fijo para darles de comer, jugar con ellos y hacerles mimos. Pero también podría suceder que usted trabajase fuera de casa durante todo el día pero no quisiese renunciar a convivir

con un gato. Para que él no se aburra y no sufra al no saber exactamente cuándo va a llegar usted a casa, le recomiendo que mantenga por lo menos dos gatos; durante su ausencia se divertirán entre ellos. Todos los gatos necesitan una zona privada individual, es decir, que habrá que colocar un comedero, un bebedero, una cama y una bandeja para cada uno.

¿Un gatito o un gato adulto?

Gatitos: Llevarse a casa un precioso gatito implica una gran responsabilidad. A la edad de doce semanas (antes no hay que separarlos de la madre) el gatito ya es bastante independiente, pero ahora usted es su madre y sus hermanos en una sola persona. Esto significa que ha de cuidarlo mucho y estar siempre pendiente de él: jugar con él, darle de comer, cuidar de que no haga ningún disparate y se pueda lastimar, que no se le meta entre las piernas, que aprenda a hacer sus necesidades en la cubeta, mimarlo mucho y dejar que duerma todo lo que quiera (hasta 20 horas al día).

Gatos adultos: Su dueño ha fallecido, o no podía seguir

> Los gatitos hermanos ya se conocen desde pequeños y son ideales para vivir en una casa en la que vayan a pasar mucho tiempo solos.

cuidándolo, y ha ido a parar a un refugio para animales. O se lo ha encontrado usted delante de la puerta de su casa, le ha pedido comida y ya no ha querido irse. Se ha ganado usted una mascota. Esto significa que van a tener que acostumbrarse el uno al otro, y para ello hace falta mucha paciencia y una cierta experiencia con los gatos. La ventaja es que estos animales ya son totalmente independientes, no se ensucian dentro de casa y no necesitan que usted esté pendiente de ellos durante todo el día.

Un gato para los niños

➤ Los niños menores de tres años todavía no saben como han de tratar a un gato. Cuide de que no se queden solos sin nadie que los vigile.

➤ A los niños un poco mayores puede enseñarles cómo coger al gato, a llevarlo consigo, y a acariciarlo, pero también a no retenerlo contra su voluntad y a no molestarlo cuando esté comiendo, durmiendo o haciendo sus necesidades. Sin embargo, usted seguirá siendo el responsable de su alimentación y de todos los cuidados necesarios.

Accesorios necesarios

Para que el gato se sienta realmente a gusto en su casa serán necesarios algunos elementos.

Cama

La ocupación favorita de los gatos consiste en vagar, acica-

> *Cuanto más rasposo sea, más les gusta arañarlo.*

larse y dormir durante 20 horas al día. Por lo tanto, es muy importante que dispongan de una cama propia. Es igual que se trate de un vulgar cesto con un cojín, una esterilla blanda, una cama para gatos o un nido de diseño con calefacción incorporada (en las tiendas de animales encontrará una gran variedad de modelos), lo importante es que la cama sea blanda y acogedora. Asegúrese de que las fundas y forros sean desmontables y lavables. Si tiene varios gatos, necesitará una cama para cada uno.

Accesorios para arañar

➤ El poste para arañar tiene que ser muy estable –si se mueve, el gato nunca más se acercará a él– y deberá estar cubierto por una cuerda enrollada gruesa y resistente.

➤ Si no dispone de espacio para el poste puede emplear una tabla para arañar. Hay que colocarla de forma que el gato pueda subirse sobre ella, y estará recubierta por un cordel robusto. Los materiales menos resistentes duran muy poco.

➤ Los carretes para arañar ayudan a que los gatos aprendan a respetar las alfombras de casa.

En todos estos accesorios también es importante su ubicación, y podemos colocarlos cerca de su cama, en la proximidad de una ventana o al lado de un armario.

Cubeta para gato

➤ Una cubeta de plástico con el borde alto (en las tiendas de animales los hay de todos los tamaños) evitará que el gato esparza la arena al escarbar en ella. Deberá ser lo suficientemente amplia como para que el gato pueda girarse cómodamente en su interior. Algunos ejemplares prefieren hacer sus necesidades en cubetas con tapa.

➤ En la cubeta pondremos una arena absorbente que elimine los malos olores y que sea especial para gatos. No hay que emplear nunca serrín, paja o productos similares. Los excrementos se retiran con una palita, y una vez a la semana se renueva toda la arena y se lava la cubeta a fondo con agua hirviendo.

Comedero y bebedero

Cada gato necesita dos comederos (uno para pienso seco y otro para comida húmeda) y un bebedero. Lo ideal es emplear recipientes de cerámica, porcelana o acero inoxidable que sean involcables y que el gato no los pueda empujar de un sitio a otro. Los comederos

> *Un cesto puede ser una cama magnífica, garantía de felices sueños gatunos.*

hay que limpiarlos diariamente con agua hirviendo.

Hierba gatera

A los gatos les gusta mordisquear algunas hierbas tales como perejil, hierba gatera, etc. La ingestión de estas hierbas les ayuda a regurgitar las bolas de pelo. En las tiendas de animales se pueden adquirir cubetas con semillas de hierba gatera a las que basta con regar un poco para lograr que germinen en casa. Acostumbre al gato a estas hierbas para evitar que se coma las plantas de su casa.

Juguetes para gato

En los comercios especializados venden todo tipo de juguetes para gatos, desde ratones en todas las variantes imaginables hasta pelotas duras o blandas, con cascabel en su interior o sin él, etc. Pero en casa también encontraremos muchos juguetes para ellos: tapones de corcho, pelotas de pingpong, cajas de cartón vacías, o incluso podemos hacerles una pelota con calcetines de lana viejos. Lo único realmente importante es que el juguete sea de un tamaño que el gato no pueda tragárselo.

Neceser para los cuidados del gato

➤ Para gatos de pelo largo o medio largo: dos peines metálicos, uno de diente ancho y otro de diente estrecho, un cepillo con cerdas naturales o púas metálicas curvadas, peine sacanudos, polvo limpiador o loción limpiadora.

➤ Para gatos de pelo corto: es suficiente con un cepillo con cerdas naturales y/o un paño o manopla para limpiarlo.

➤ Toallitas húmedas para limpiarle los ojos, las orejas y el ano.

➤ Tenacilla cortaúñas, especialmente para gatos que no salgan al exterior.

RECUERDE

¡Cuidado, peligro!

✔ Balcones, ventanas abiertas: Colocar una red para gatos (de venta en los comercios especializados) para evitar que el animal pueda caerse.

✔ Ventanas abatibles: colocar un dispositivo para que el gato no pueda quedar atrapado.

✔ Lavadora, secadora, cajones: mirar bien en el interior antes de cerrar.

✔ Para evitar quemaduras: Tape las ollas, sartenes, freidora, etc. Apague las velas cuando salga de la habitación.

✔ Agujas y otros objetos punzantes: recójalos cuando haya acabado de trabajar con ellos.

✔ Medicamentos y productos para la limpieza: guardarlos en lugar cerrado fuera del alcance del gato.

✔ Plantas venenosas: retirarlas o impedir que el gato tenga acceso a ellas.

Cuestiones acerca de la elección del gato

¿Puedo tener un gatito con mi gato adulto?

Si ya tiene un gato y quiere proporcionarle compañía es mejor que consiga un gatito joven y no otro gato adulto. Lo importante es que los caracteres de ambos animales sean compatibles. Si el gato adulto está sano pero se ha vuelto un poco perezoso, un gatito travieso y juguetón le alterará los nervios. Trátelos con paciencia y no pretenda que se acostumbren el uno al otro en poco tiempo (ver pág. 26). Si en casa tiene un gato viejo y enfermo es mejor que no le traiga compañía: no haría más que estresarlo y empeorar su situación.

Si adopto un gato adulto, ¿llegará a reconocerme como su nuevo dueño?

En la mayoría de los casos el gato ha tenido una larga y profunda relación con su antiguo propietario. Pero el gato es muy independiente. Seguro que siente la pérdida de su persona de confianza, pero no tanto como podría llegar a sentirlo un perro. Al final aceptará el cambio, pero sólo si en su nuevo hogar encuentra todo aquello que espera encontrar en él. A los gatos no les gusta nada que los obliguen a enfrentarse bruscamente a lo desconocido.

Voy a mudarme de una casa de campo a un piso en la ciudad, ¿aceptará mi gato este cambio?

Naturalmente. Los gatos son animales muy adaptables, y si en la nueva casa encuentra la misma variedad que al aire libre ya tendrá ganado la mitad. Ocúpese mucho de él, juegue cada día un buen rato con él para que se mantenga en forma y pronto ya se habrá olvidado de lo que era correr al aire libre.

¿Qué ventajas tiene adoptar un gato en un refugio para animales abandonados?

La mayoría de esos gatos ya son adultos, por lo que se reduce el tiempo durante el cual

Un juguete conocido le ayudará a adaptarse a su nuevo hogar.

dependen exclusivamente de su dueño. También se ahorrará la aclimatación que suele suponer la adquisición de un gatito. Por otra parte, se enfrentará a un animal cuyo carácter ya está totalmente formado y del que normalmente no sabrá en qué condiciones ha crecido, cómo lo han cuidado y qué es capaz de hacer. Es necesario que usted entienda bastante de gatos, que sepa evaluar correctamente su comportamiento y que le dedique mucho tiempo hasta que se adapte totalmente a usted.

Tenemos dos niños pequeños. ¿Cuáles son los mejores gatos para nosotros?
Gatos de las razas a las que les guste mucho vivir en ambiente familiar, como por ejemplo el gato Burmés, el gato Bosque de Noruega, el Ragdoll o el Maine Coon. No suelen perder la calma por mucho ajetreo que haya en la casa.

¿Podemos añadir uno o dos gatos a nuestra familia de animales domésticos (perro, cobayas, periquitos)?
No se puede dar una respuesta general. Al perro es posible convencerle de que acepte al gato como miembro de su manada. Pero el gato no será un buen compañero para los periquitos y las cobayas, es más, los considerará como presas e intentará darles caza. En este caso es mejor prescindir de los gatos o mantener a los animales en lugares separados.

Vivo en un piso alquilado, ¿necesito el permiso del propietario para tener un gato en casa?
Los derechos del arrendatario incluyen la tenencia de gatos y perros en su domicilio y no hace falta solicitar ningún permiso para ello. La única limitación es que el animal no ha de suponer ninguna molestia para los demás inquilinos del inmueble.

¿Puedo observar el desarrollo de un gatito muy pequeño?
Sí, pero no en una única visita. Vaya a verlo cada 10-14 días y apreciará cómo se va definiendo su carácter. Por ejemplo, si el gatito no se asusta de su mano es fácil predecir que en el futuro será un gato vivaz y seguro de sí mismo. Por otra parte, si el gatito huye a esconderse difícilmente se convertirá en un animal decidido y confiado.

Katrin Behrend

MIS CONSEJOS PERSONALES

Un paraíso gatuno

➤ La casa ideal para un gato deberá ofrecerle mucha variación y es mejor que no pueda verlo todo de un sólo vistazo.

➤ Proporciónele algún lugar de descanso sobre un armario o en un estante al que pueda acceder fácilmente. Le gusta poder controlar su territorio desde arriba.

➤ Su minino necesita una cama en la que pueda descansar tranquilamente. Es igual que sea un modelo caro y lujoso o una simple caja de cartón cubierta con una toalla vieja. Si no tiene cama propia se instalará en la de su dueño.

➤ Un puesto de observación junto a la ventana, soleado y con calefacción en invierno es para su gato como la televisión: cómodo, entretenido y sin peligros. Si la repisa de la ventana es demasiado estrecha puede ampliarla.

➤ Una fuente de interior le proporcionará al gato una diversión sin límites. Además, los gatos prefieren beber agua en movimiento.

Conozca
a su gato

Cuidado al comprarlo

Ya está todo pensado: raza, edad y sexo del gato. Su habitación también está preparada. Ahora sólo falta saber dónde se puede conseguir el gato y qué es lo que hay que vigilar al comprarlo.

su veterinario o a alguna sociedad felina local. Si busca una raza muy rara es posible que tenga que ir lejos o que solamente pueda obtenerla en el extranjero. Dado que la cría de gatos requiere mucha dedicación y una inversión económica notable, no es raro que por algunos ejemplares haya que pagar hasta más de 1.000 euros. También es muy útil asistir a exposiciones y concursos de gatos; allí podrá contactar con los criadores y mantener algunas conversaciones muy interesantes con ellos.

Particulares: Es probable que algún amigo o familiar le

ofrezca gatitos de la última camada de su gata, o que encuentre un anuncio en el supermercado, en el tablón de la tienda de animales o en el periódico. En estos casos se suele pagar al propietario una cantidad mínima, o por lo menos se le compensa la factura del veterinario.

A tener en cuenta: A veces, tras el anuncio de «Se regalan gatitos» se oculta un feo negocio. Hay personas que hacen criar a sus gatas tanto como pueden para luego «regalar» los gatitos a cambio de una pequeña «donación» para cuidar a su madre. Gene-

> *Al elegir un gato no sólo hay que tener en cuenta su aspecto, sino también su carácter.*

Procedencia del gato

Criaderos profesionales: Ahí es donde encontrará la raza que está buscando. Para obtener sus direcciones consulte a

ralmente no los hacen vacunar.

Refugio de animales: Generalmente reciben gatos adultos (ver pág. 15), y es raro que tengan gatitos. Los animales suelen estar vacunados, desparasitados y castrados, y solamente los entregan mediante contrato. Con su venta el refugio apenas puede cubrir una parte de sus gastos.

La elección

Mi consejo: visite al criador o propietario de los gatos antes de decidir la compra y observe bien a los gatitos.

Alojamiento: Fíjese si la gata y sus gatitos viven en la casa de su dueño. Solamente si la gata confía en las personas podrá transmitir esta confianza a sus gatitos.

Comportamiento: Los gatos sanos le mirarán a usted con precaución pero con curiosidad y al cabo de más o menos rato empezarán a mostrarle su verdadero carácter (ver razas de gatos, págs. 10-13).

➤ El sociable vendrá pronto para dejarse acariciar.

➤ El tranquilo irá con calma y se tomará su tiempo hasta establecer el primer contacto.

➤ El tímido correrá a esconderse y le observará desde lejos.

> *Con un transportín adecuado será mucho más fácil llevarlo a casa.*

➤ El caprichoso intentará hacer todo lo posible para llamar su atención. Pero cuidado: a la larga puede hacerse muy pesado.

Edad: Si el criador es una persona seria, los gatitos deberán tener por lo menos doce semanas de edad y habrán recibido todas las vacunas necesarias (ver calendario de vacunaciones, pág. 41). Si no han recibido todas las vacunas (los gatitos procedentes de un particular pueden estar en este caso), le recomiendo que actualice su cartilla lo antes posible.

RECUERDE

Un gatito sano

Al comprarlo, fíjese en lo siguiente:

✔ Pelaje: limpio, suave, sin nudos ni apelmazamientos.

✔ Ojos: limpios y brillantes.

✔ Orejas: limpias, sin secreciones.

✔ Nariz: seca, sin flujo nasal.

✔ Dientes: limpios, encías rosadas.

✔ Región anal: limpia.

✔ Vientre: liso y sin hinchazón.

✔ Cuerpo: uniforme y proporcionado.

✔ Comportamiento: juegan y retozan mucho, se quedan dormidos con frecuencia.

Aclimatación

Para el gatito todo es nuevo y extraño, la separación de su madre y sus hermanos le ha supuesto un shock y usted es una persona extraña a la que aún mira con desconfianza. Pero si usted tiene en cuenta sus necesidades, esta situación no tardará en normalizarse.

Transporte hasta casa

Lleve el gato siempre en un cesto o en un transportín en el que también esté su mantita habitual. Así no sólo no podrá escaparse, sino que además se sentirá seguro. Lo mejor es que vaya en coche y que lo acompañe otra persona. Así podrá hablarle durante el trayecto.

Al llegar a casa ponga el cesto o transportín en la habitación en la que va a vivir el gato y en la que ya habrá instalado todo lo necesario: cama, poste para arañar, su juguete favorito (caso de saber cuál es), comedero y bebedero, y, un poco más lejos, la bandeja para sus excrementos.

La aclimatación del gatito

➤ Adquiera el gato cuando usted tenga vacaciones, así podrá dedicarle más tiempo. Abra la puerta del transportín y deje al gatito a solas para que salga por sí mismo.

➤ En cuanto se sienta seguro empezará a inspeccionar el resto de la casa (fotos de la derecha). Permanezca a su lado para que no se haga daño o vaya a estropear algo. Es necesario que esté muy atento a todo lo que hace su recién llegado, porque su curiosidad innata puede llevarle a situaciones de peligro (ver pág. 17).

➤ Es probable que el gatito se pase las primeras noches llorando porque añora a su ma-

Una buena relación entre ambos es la mejor señal de que el gato está perfectamente adaptado. Este gato está totalmente concentrado en el juego que le propone su dueña.

dre y sus hermanos. Si no quiere que el gato acabe durmiendo con usted será mejor que actúe con firmeza desde el primer momento. Acaríciolo y tranquilícelo, pero cierre la puerta al salir. No haga caso de sus maullidos y su forma de arañar la puerta, porque si cede una sola vez el gato no comprenderá por qué hoy está permitido y ayer no (ver normas para el adiestramiento, página 50).

Aclimatación de un gato adulto

Los gatos adultos también necesitan un cierto tiempo para adaptarse a su nuevo hogar. En la habitación de aclimatación deberá disponer de todo lo que necesita. A partir de ahí irá ampliando progresivamente su radio de acción, pero siempre tendrá la posibilidad de regresar. Si conoce a sus antiguos propietarios podrá consultarles acerca de las costumbres del animal. Si es un gato callejero o procedente de un refugio es probable que tenga que empezar por ayudarle a vencer la desconfianza, el miedo y la agresividad. Tenga muy claro lo siguiente:

➤ A los gatos les da mucho miedo lo desconocido. No lo enfrente bruscamente a co-

Atraerlo

Atraiga la atención del gatito llamándolo en voz baja. Acérquele la mano para que pueda olfatearla.

Ofrecerle una golosina

Para ayudarle a que le pierda el miedo a usted y a su mano es necesario que el gatito le relacione con algo bueno. Es muy fácil conseguirlo si se esconde una golosina en la mano y se la ofrece cuando se acerque.

Caricias

Cuando el gato ya no se asuste de su mano y se le acerque confiado, acaríciolo suavemente a la vez que le habla en voz baja. No haga ningún movimiento brusco, pues lo asustaría.

Muestra de confianza

Cuando ya se haya establecido una relación de confianza entre usted y su gato, éste se acostará de lado y empezará a ronronear para pedirle que lo acaricie y le rasque.

sas nuevas. Proporciónele un ambiente que le inspire tranquilidad y seguridad para que empiece a confiar en usted.

> Una caricia así de tierna y la amistad quedará sellada para siempre.

➤ A los gatos no les gusta sentirse obligados o forzados a nada. Atráigalo con una golosina y acaríciele cuando venga, pero no intente retenerlo cuando quiera irse.

Acostumbrar un gato a otro

Si un gato lleva ya algunos años en una casa no le interesará lo más mínimo compartirla con otro. Considerará la totalidad de la casa como su propio territorio y lo defenderá con uñas y dientes. Se sentirá ofendido y humillado, comerá menos o nada, arañará el sofá y las cortinas o hará sus necesidades en medio de la alfombra para mostrar su disconformidad. Por lo tanto, le va a hacer falta paciencia para lograr que se adapte.

Primer paso: Encierre al recién llegado en una habitación para él solo. De esta forma los dos animales podrán olerse y oírse.

Segundo paso: Deje que el nuevo inspeccione la casa mientras que el otro está con usted en su sillón favorito. Acaríciolo y háblele en tono tranquilizador. A lo mejor empieza a ronronear. El nuevo se le acercará con curiosidad e intentará olfatearlo.

Tercer paso: Si el gato «viejo» se deja olfatear ya habremos ganado el primer asalto. Pero todavía habrá de pasar algún tiempo hasta que se haga amigo del nuevo, y antes de que esto suceda habrá más de un revolcón y algún que otro barullo. Es necesario que el nuevo pueda retirarse a su habitación siempre que lo desee.

Acostumbrar un gato a un perro

La expresión «como perro y gato» no se refiere precisamente a una amistad eterna. Pero pueden llegar a llevarse muy bien, siempre y cuando entiendan sus respectivos idiomas. Por ejemplo, cuando el perro mueve la cola expresa felici-

> *En la naturaleza, los gatos y los conejos no son precisamente buenos amigos. Pero si los acostumbramos mutuamente pueden llegar a serlo.*

dad, pero cuando lo hace el gato es una señal de desagrado o incluso de ira. El perro levanta la pata en señal de amistad, pero si lo hace el gato es que se dispone a dar un zarpazo.

Los cachorros y gatitos que crecen juntos y tienen un carácter compatible suelen llegar a ser grandes amigos. También suele dar buen resultado poner un gatito junto a un perro adulto. Sólo hay que inducirlo a que lo acepte en su manada. Por el contrario, un gato adulto e independiente es capaz de humillar y asustar a un cachorro hasta el punto de que éste solamente se atreva a reptar y

esconderse. Este tipo de conductas hay que evitarlas a toda costa.

Acostumbrar un gato a otros animales

Para el gato, muchos de nuestros animales domésticos no son más que posibles presas que están esperando a ser cazadas, como es el caso de cobayas, ratas, ratones y pájaros pequeños. Solamente es posible conseguir que convivan si crecen juntos o si al gatito lo ponemos con otros animales. Pero es mejor que el gato no esté en la habitación en la que los dejemos sueltos.

Perro y gato

✔ Si el perro es el recién llegado, instalar a los animales en dos habitaciones contiguas pero cerradas. Así podrán olerse mutuamente y cada uno sabrá de la presencia del otro.

✔ Si el gato es el recién llegado, deje que explore su nuevo territorio. Es mejor que el perro pase algunos días en casa de algún amigo o familiar.

✔ El primer contacto: el gato permanece sentado sobre una caja, el perro está atado con la correa. Deje que se olfateen mutuamente y repítalo en los días siguientes.

✔ Si se han calmado los ánimos, déjelos sueltos. Es importante que el gato tenga la posibilidad de ponerse a salvo si lo desea. Prepárele un refugio en algún lugar en alto.

El comportamiento del gato

El comportamiento del gato viene determinado por su carácter independiente. Su constitución física y sus órganos sensoriales están perfectamente adaptados para cazar presas de pequeño tamaño, su lenguaje corporal y el vocal son muy expresivos.

Aptitudes

El gato posee un cuerpo ágil y musculoso que le permite

> Subir es muy fácil, pero la bajada a lo mejor ya no lo es tanto.

efectuar una increíble variedad de movimientos y acrobacias. Estando quieto es capaz de saltar a un metro de altura y a igual longitud, acecha con un sigilo increíble y luego salta súbitamente controlando todos sus movimientos, corre a gran velocidad y es capaz de trepar y mantener el equilibrio de una forma asombrosa. Cuando cae, lo hace siempre sobre sus cuatro patas. Las uñas de sus patas delanteras son retráctiles, y puede erizar el pelo. Sus sentidos están muy desarrollados y son los de un perfecto cazador. Puede captar sonidos con una frecuencia de hasta 65 kHz y saltar con gran precisión sobre un ratón que intenta huir, de noche ve casi igual de bien que a plena luz del día y sus pelos táctiles le permiten orientarse incluso en la oscuridad más absoluta. Sus sentidos del gusto y el olfato también están muy desarrollados.

Comportamiento básico

El gato expresa su estado de ánimo mediante el lenguaje corporal y el vocal.

RECUERDE

El lenguaje de los gatos

✔ **Relajación:** Se sienta sobre las patas traseras o con la cola estirada hacia atrás. Pelo liso. Orejas orientadas hacia delante o ligeramente hacia los lados. Ojos tranquilos o con parpadeo, pupilas normales. Bigotes poco desplegados.

✔ **Saludo:** Alza la cabeza, levanta la cola y estira las patas. Orejas orientadas hacia delante. Ojos despiertos y muy abiertos. Maullidos, ronroneos.

✔ **Estado de alerta:** Cuerpo en tensión, mueve la punta de la cola. Orejas tensas y orientadas hacia delante. Ojos redondos y muy abiertos. Puede gemir un poco.

✔ **Agresividad:** Se mantiene ligeramente agazapado. Eriza el pelo del lomo y la base de la cola. Orejas levantadas y ligeramente giradas hacia atrás. Pupilas cerradas. Gruñidos, bufidos y aullidos.

✔ **Dispuesto a atacar:** Lomo curvado, pelo del lomo erizado. Orejas plegadas hacia los lados. Pupilas totalmente dilatadas. Bufidos.

✔ **Ataque:** Cuerpo agazapado, pelo erizado, cola oscilando de un lado a otro. Pupilas cerradas. Fuertes chillidos.

1 Enfrentamiento

Los gatos se sientan en ángulo recto uno respecto al otro con las patas delanteras juntas y la cola rodeando el cuerpo. Las orejas están orientadas hacia los lados, las pupilas dilatadas y los bigotes ligeramente retraídos. Pueden permanecer un buen rato en esta posición de espera sin perderse de vista ni un instante.

2 Lucha

De repente, un gato salta sobre el otro y empieza la pelea. El agredido se voltea rápidamente para ponerse de espaldas contra el suelo y parar en ataque con dientes y uñas. Los gatitos lo hacen como un juego, pero si los que se enfrentan son machos adultos suele correr la sangre.

Lenguaje corporal: Contiene un conjunto de movimientos y posiciones complementado por los gestos que hace con la cola. Las orejas, los ojos, los labios y los bigotes ayudan a expresar perfectamente cada estado anímico, siendo las orejas los elementos más expresivos. Éstas gozan de una gran movilidad y pueden alzarse, plegarse u orientarse hacia delante o hacia atrás. A veces sus gestos pueden ser muy sutiles, por lo que hay que fijarse bien en ellos para interpretarlos correctamente y no sufrir una dolorosa y desagradable experiencia en forma de arañazo.

Lenguaje vocal: El gato suele emplear distintos sonidos para acompañar a sus gestos. Puede maullar o gruñir suavemente en cualquier situación; cuando ronronea es señal de que se siente bien, pero también puede emplear el ronroneo para darse ánimos en caso de tener miedo o para señalar un encuentro amistoso. Gime cuando se da cuenta de que su presa es inalcanzable. Los soplidos y los bufidos son señales de advertencia y de agresividad, y suele lloriquear inmediatamente antes de lanzarse al ataque.

Marcado: Sirve para comunicarse con los de su especie. El gato marca el territorio con orina y excrementos, así como con las secreciones olorosas de sus glándulas situadas entre los dedos de las patas traseras, en las mejillas, bajo la barbilla y en la base de la cola. Por lo tanto, cuando un gato araña un árbol no sólo se afila las uñas, sino que además lo está marcando con su olor. Y cuando su gato se frota contra sus piernas también lo está marcando a usted.

Aprenda a interpretar el comportamiento
de los gatos

¿Entiende el lenguaje de los gatos? Aquí descubrirá qué es lo que éstos expresan mediante su comportamiento ?, así como la forma en que usted debe reaccionar en cada caso →

> El gatito se esconde debajo de la manta.

? Busca el cobijo y la seguridad de una «cueva».
→ Ofrézcale otras posibilidades para que se esconda, como por ejemplo una caseta o una cama cubierta.

> El gato se estira sobre un muro al sol y bosteza.

? Disfruta de sus dos ocupaciones favoritas: hacer el vago y observar lo que pasa a su alrededor.
→ Procure que en su casa haya algún lugar en el que pueda sentirse así de cómodo.

El gatito está sentado sobre una rama elevada y llora desesperadamente.

? No se atreve a bajar solo.

→ Apoye una escalera contra el árbol para que aprenda a bajar por sus propios medios.

El gato está en el césped del jardín totalmente inmóvil pero en máxima tensión

? Ha localizado una posible presa y se dispone a efectuar un salto fulminante sobre ella.

→ No se enfade con él, el gato es cazador por naturaleza.

El gato trepa a un árbol.

? Quiere cazar pájaros.

→ Póngale un cascabel o coloque un protector en el árbol para impedirle trepar.

El gato se abraza a su mano y le muerde los dedos.

? Cree que su mano es una presa y la ataca con dientes y uñas.

→ Interrumpa el juego hasta que el gato se haya tranquilizado.

Gatitos

Si usted es propietaria/o de una gata que vive en semilibertad, lo más probable es que ésta tenga descendencia regularmente. Los gatitos son encantadores y usted seguramente disfrutará muchísimo con ellos, pero llegará un momento en que no tendrá más remedio que plantearse qué

> Al principio siempre se muestran desconfiados ante los extraños.

hacer con ellos. Si quiere evitarse estos problemas para siempre, lo mejor es que recurra a la castración del animal (ver recuadro de la derecha).

Celo y apareamiento

Cuando una gata está en celo se muestra inquieta, va de un lado a otro, apenas come, se frota contra el suelo y maúlla constantemente. Para cortejarla, el macho deberá realizar un ritual muy estricto. Finalmente, cuando la gata esté dispuesta para el apareamiento lo realizará varias veces, generalmente con varios otros gatos.

Gestación y parto

➤ Al cabo de tres o cuatro semanas, las mamas empiezan a volverse duras y rosadas, y ganan turgencia. A partir de la quinta semana el vientre se nota más redondeado.

➤ Para el parto, prepare una caja de cartón (40 x 50 cm de base y un borde de 30 cm de alto), y ponga en su interior una gruesa capa de papel de periódico cubierta por una toalla limpia. Póngala en un lugar cálido (22 °C) y acogedor para que la gata pueda acostumbrarse a ella.

➤ El período de gestación es de 63 días a partir del primer apareamiento, con un margen normal de más o menos siete días.

SUGERENCIA

Lo que debe saber acerca de la castración

➤ La esterilización es una intervención quirúrgica que consiste en extirpar los ovarios de la gata o los testículos del gato (castración). Las realiza el veterinario en régimen ambulatorio.

➤ Momento ideal: en el gato, poco después de alcanzar la madurez sexual (a la edad de unos nueve meses); en la gata, después del primer celo (a la edad de unos seis meses).

➤ Es conveniente hacerlo para evitar que aumente el número de gatos sin dueño, que ya es muy elevado, así como para impedir que el macho marque constantemente su territorio con un olor muy molesto y se pelee constantemente con otros gatos hasta resultar lesionado.

➤ Cuando la gata está a punto de parir se muestra inquieta. Al poco tiempo rompe aguas y pierde el líquido amniótico, poco después nace el primer gatito envuelto en la placenta. La gata corta el cordón umbilical con los dientes, se come la placenta y limpia al recién nacido con la lengua. Así irán naciendo todos los gatitos uno detrás de otro.

Desarrollo de los gatitos

Días 1 a 7: Los gatitos son ciegos y sordos, pero tienen el cuerpo recubierto de pelo. Encuentran las mamas de su madre por el tacto y se apoyan contra ellas con sus patitas delanteras para estimular el flujo de leche. Si la madre confía en las personas que la rodean, transmitirá esta confianza a sus hijos.

Días 8 a 12: Su peso se duplica y abren los ojos. Ronronean al mamar y aumenta su interés descubriendo el mundo que les rodea.

Días 13 a 20: Gatean y se asoman por el borde de la caja. Coordinan mejor sus movimientos. No tienen miedo de las personas a las que conocen, pero desconfían de los extraños.

Días 21 a 25: Dan sus primeros pasos fuera de la caja y

> *A partir de la quinta semana la madre empieza a enseñarles a sus hijos todas las sutilezas de la vida gatuna.*

juegan entre ellos. Les crecen los dientes de leche.

3ª a 4ª semana: Empiezan a ingerir alimentos sólidos. Observan a su madre cuando emplea la bandeja para los excrementos. Hay que acariciarlos y cogerlos en brazos para que pierdan el miedo a la gente.

5ª a 6ª semana: Saltan, trepan, cogen cosas e intentan cazar. La madre les trae pe-

queñas presas y juega con sus hijos.

7ª a 8ª semana: Aumenta su grado de independencia, pero sigue siendo muy importante su relación con la madre y sus hermanos. Es importante que jueguen con las personas para fortalecer su confianza en ellas.

3º a 4º mes: A los gatitos ya podemos buscarles un nuevo hogar, pero antes hay que vacunarlos (ver pág. 41).

Cuestiones acerca de su adaptación

Mi gato adulto no se lleva bien con un gatito que he comprado recientemente. ¿Qué puedo hacer?

Su gato de siempre está celoso porque usted probablemente le presta más atención al gracioso gatito recién llegado y juega mucho con él. Hágale mucho caso a su gato y dele a entender que él sigue siendo el más importante. También puede ser que le haya dado poco tiempo para que se acostumbre a la nueva situación. Vuelva a empezar desde el principio (ver pág. 26).

Mi gato ya casi tiene un año y sigue mostrándose muy tímido y huidizo. ¿Cómo puedo conseguir que se acostumbre a mí?

No debe actuar de forma que el gato se pueda sentir cohibido o forzado, es decir, no lo persiga por la casa para acariciarlo en contra de su voluntad. Dele de comer en pequeñas cantidades y con frecuencia, así se acostumbrará a relacionarle a usted con la comida, es decir, con una experiencia positiva. Juegue con él para atraerlo, pero no lo acaricie hasta que él se lo pida.

Mi gata está preñada. ¿Tengo que cambiar algo en su alimentación?

Dele un pienso de buena calidad y muy nutritivo. La ración diaria será de unos 400 gramos repartidos en tres o cuatro veces. En los comercios de animales venden alimentos especiales para gatas preñadas y lactantes que están formulados especialmente para cubrir sus necesidades durante este tiempo.

Me he cambiado de casa y ahora mi gato me despierta cada noche con sus maullidos. ¿Qué le pasa?

Los gatos son animales de costumbres. Les gusta la rutina, los rituales, pasar por los mismos caminos, e ir a los mismos lugares. Y, de repente, todo es distinto. Por mucho que usted haya procurado que la nueva casa también sea «a

El jardín es un lugar apasionante, pero es necesario que sea a prueba de fugas.

prueba de gatos», su minino tiene que marcar nuevas rutas y nuevas zonas y hasta que no lo logre no se sentirá seguro. Juegue mucho con él antes de irse a dormir, y quizá entonces esté lo suficientemente agotado como para no levantarse en toda la noche.

? De repente, mi gato ha empezado a ensuciarse por la casa. ¿Qué puedo hacer para evitarlo?

Los gatos son animales limpios por naturaleza. Si se ensucian, siempre es señal de que algo no va bien. Investigue cuál pueda ser la causa de su trastorno: un exceso de actividad en la casa, cambio de mobiliario, la llegada de un bebé que le roba la atención de sus dueños, una cubeta nueva que no le gusta, etc. También puede deberse a un problema de salud, como por ejemplo una nefritis o una diabetes. A veces no es fácil dar con la causa. Tenga mucha paciencia y, sobre todo, no deje de prodigarle caricias y hágale mucho caso, de lo contrario no haría más que estresarlo y agravar la situación. Felicítelo cada vez que haga sus necesidades en la cubeta y ocúpese mucho de él para poder averiguar qué es lo que le pasa.

? He adoptado un gato abandonado. ¿Qué puedo hacer para evitar que se pase el día destrozándolo todo?

Dado que usted probablemente no sepa nada acerca de su pasado, lo primero que tendrá que hacer es intentar averiguar la causa de este comportamiento. A lo mejor lo hace por puro aburrimiento. Quizá usted esté todo el día fuera de casa por motivos laborales y su antiguo dueño se pasaba el día con él. Juegue mucho con su gato al llegar a casa. El animal se acostumbrará a ello y lo estará esperando con ilusión. También puede ser que el gato no se entretenga con el poste para arañar porque esté en un lugar poco adecuado, porque no le guste el material del que está hecho, o porque es inestable. Intente averiguar la causa. Cubra los muebles, alfombras, etc. con una lona encerada; al gato le resultará muy desagradable arañar su superficie lisa y pronto abandonará ese vicio. Si sus malas costumbres fueron precisamente la causa de que el gato fuese a parar al refugio de animales, será muy difícil que usted consiga reeducarlo por sí solo. En este caso necesitará la ayuda de un etólogo.

Katrin Behrend

MIS CONSEJOS PERSONALES

Así se consigue que el gato se adapte a su nuevo hogar

➤ Tanto si se trata de un gatito como si es un gato adulto, para su aclimatación hace falta tiempo, paciencia y cariño.

➤ El gatito no sentirá tanto la separación de su madre y sus hermanos si en su cesto le colocamos un objeto cuyo olor él ya conozca.

➤ Procure que durante el primer día no haya ruido, ajetreo, ni música estridente, y mantenga apartados a los demás animales domésticos.

➤ Los gatos soportan mejor los traslados si en su nueva casa coloca usted todas sus cosas en una habitación y deja que desde ella pueda explorar el resto de la vivienda.

➤ No deje que el gato empiece a explorar el jardín hasta que se sienta totalmente seguro en el interior de la casa. Ocúpese de que pueda esconderse inmediatamente si encuentra algo que lo asuste. Más adelante ya aprenderá a pasar de la casa al jardín por una trampilla para gatos.

Sano
y en forma

Más vale prevenir

Por regla general, los gatos son animales fuertes, sanos, robustos y muy resistentes. Para potenciar esta magnífica base, aliméntelo correctamente, cuídelo bien (ver pág. 42) y trátelo con mucho cariño. No se

Hay que limpiarse varias veces al día: solamente así se sienten felices los gatos.

olvide tampoco de la desparasitación ni de las vacunas reglamentarias.

Alimentación

El gato es un animal carnívoro. En la naturaleza se alimenta principalmente de ratones y otros pequeños roedores, y ocasionalmente algún pájaro, insectos, hierba e incluso huevos. Es una alimentación muy poco variada, pero tampoco necesita más porque sus presas le proporcionan todos los nutrientes que necesita.

Proteínas de origen animal: Los gatos las necesitan a diario para mantenerse sanos, es decir, que su alimento deberá contener una elevada proporción de carne. Esto también le proporciona la dosis necesaria del aminoácido taurina que tan importante es para el correcto desarrollo de sus ojos, corazón y cerebro. Las proteínas le proporcionan energía y son imprescindibles para la formación de tejido muscular, la renovación de los demás tejidos del cuerpo, el crecimiento del pelo y la digestión. Las mejores fuentes de proteínas son la carne roja, el pescado, los huevos, el hígado y los productos lácteos agrios.

Grasas: A igualdad de peso, proporcionan el doble de energía que las proteínas. La grasa animal es rica en ácidos grasos esenciales e interviene de forma vital en la digestión de las vitaminas liposolubles (A, D, E y K). El gato necesita grasas para que su piel se mantenga sana y que su pelo se conserve brillante, así como para su sistema inmunitario, su crecimiento y su fertilidad. Las grasas más adecuadas y fácilmente digeribles son las de la carne y el pollo, así como los aceites de maíz y cardo, e incluso el de salmón.

Carbohidratos: Proporcionan mucha energía y se encuentran, por ejemplo, en los copos de cereales, el arroz, la pasta y las patatas. Los productos vegetales hay que dárselos siempre hervidos (si no, no puede digerirlos), mezclados con los demás alimentos y solamente en pequeñas cantidades (aproximadamente un 10 %).

Fibras: Son elementos pesados o indigeribles de la alimentación cuya función es la de regular el tránsito intestinal (ver «hierba gatera», página 17). Algunos alimentos ricos en fibra son el arroz integral, los copos de cereales y la sémola de trigo.

Vitaminas y minerales: Intervienen en cantidades ínfimas pero son de gran importancia para regular la mayoría de las funciones del organismo, como las de los ojos, piel y mucosas, huesos, nervios, dientes y metabolismo. En la alimentación del gato tienen que estar en cantidades equilibradas. Es peligroso tanto el exceso como el defecto.

Alimentos preparados

Los alimentos preparados son muy prácticos y proporcionan una alimentación equilibrada, es decir, que aporta todos los nutrientes necesarios y en las proporciones adecuadas. Elija un alimento de buena calidad (ver recuadro de la derecha).

Distinguiremos entre alimentos húmedos y piensos secos.

Alimento húmedo: Suele venir en lata, se conserva durante mucho tiempo y no acostumbra a contener conservantes. Contiene de un 70 a un 80 % de agua, por lo que los gatos no tienen que beber mucho. *Inconvenientes:* Su consistencia blanda hace que el gato no haga trabajar mucho sus dientes y sus encías. Además, una vez abierta la lata, su contenido se estropea rápidamente y es necesario guardarla en la nevera.

> *Si tenemos dos gatos necesitaremos un comedero para cada uno.*

Pienso seco: Es de alto valor nutritivo, apenas contiene agua y es necesario emplear menos cantidad. Al gato no deberá faltarle nunca un bebedero lleno de agua limpia. *Ventajas:* No se estropea en el comedero.

Comida casera

Si se encarga usted mismo de preparar la comida de su gato podrá controlar la calidad de los ingredientes y sabrá qué es lo que le da de comer. Sin embargo, si no tiene conocimientos de nutrición animal es posible que la dieta de su gato no sea la que más le conviene o que incluso pueda ser perjudicial para su salud.

➤ La carne siempre hay que

Aprenda a determinar la calidad de los alimentos preparados

✔ El primer ingrediente que se cita en la lista que aparece en el envase es el tipo de carne que está en un porcentaje más elevado.

✔ La carne de pollo y cordero son, junto con el hígado de pollo, las mejores fuentes de proteínas.

✔ Los productos cárnicos secundarios han de aparecer citados por separado.

✔ Los antioxidantes naturales (evitan que la grasa se ponga rancia) como las vitaminas C y E, son aditivos habituales.

✔ Cuanto menores sean las raciones recomendadas en el envase, más nutritivo será el producto y más fácil será su digestión.

dársela hervida; la carne cruda puede transmitir enfermedades muy peligrosas.

➤ El pescado deberá estar hervido y sin espinas.

➤ La grasa es preferible que esté en forma de carne. El alimento no deberá tener un porcentaje de grasa superior al 25%.

➤ Como aporte de carbohidratos podemos añadir copos de cereales integrales poco her-vidos y verduras tales como zanahoria, calabacín y brócoli.

➤ Es imprescindible añadir un complemento de vitaminas y minerales (se puede adquirir en las tiendas de animales).

¿Qué beben los gatos?

Los gatos beben relativamente poco, especialmente si se les da comida de lata o casera. Ponga varios bebederos en distintos lugares de la casa, porque a los gatos les gusta mucho beber en sitios diferentes. Pero no ponga ningún bebedero junto al comedero, pues tomaría el agua por un alimento inodoro y no le haría ningún caso. A los gatos no les conviene beber leche pues la lactosa les puede provocar trastornos digestivos. Sin embargo, sí que pueden consumir yogur, cuajada o queso.

Hábitos alimenticios saludables

Le recomiendo que acostumbre a su gato desde el principio a una alimentación sana y que luego se la mantenga.

Alimentación regular: Acostumbre a su gato adulto a comer dos veces al día y siempre a las mismas horas. Retire lo que no haya comido al cabo de una hora. No conviene que tenga el comedero siempre lle-no. Si el gato huele la comida durante todo el día y picotea cuando le parece nunca tendrá un buen apetito, estará desganado y acabará adelgazando. O comerá por puro aburrimiento y engordará más de la cuenta.

Poca variación: Si usted se apresura a ofrecerle algo nuevo cada vez que se muestra un poco desganado, sea por el motivo que sea, no tardará en volverse caprichoso. Se dará cuenta de que al no comer enseguida consigue llamarle la atención y habrá descubierto la forma más sencilla de obtener sus golosinas favoritas.

Vacunas

A los gatitos hay que vacunarlos a partir de la novena semana. Para ello es necesario que estén sanos y sin parásitos, por lo que el veterinario deberá efectuar un análisis de excrementos para asegurase de que así es. A los gatos se los vacuna contra la rabia, la leucemia felina y la panleucopenia, y se les administra también una vacuna trivalente para el complejo respiratorio felino (calcivirus, herpes virus y traqueítis). Antes de cada vacunación hay que desparasitar al animal, porque los gatos con gusanos no pueden desarrollar bien su resistencia inmunitaria.

> *Su gato solamente tendrá un pelaje así de denso y lustroso si come alimentos de la máxima calidad.*

Desparasitación

➤ A los gatitos hay que desparasitarlos a las dos semanas y repetir esta operación cada semana hasta que se los separa de la madre.

➤ Los gatos que viven al aire libre hay que desparasitarlos por lo menos dos veces al año. A los que viven siempre en el interior bastará con hacerlo una vez al año o si se aprecian gusanos en sus excrementos (llevarlos al veterinario para su análisis).

➤ A las gatas preñadas hay que desparasitarlas dos semanas antes de dar a luz y luego cada dos semanas hasta que se separen de los gatitos.

> *Beber agua de un estanque siempre es algo muy divertido. Y despierta el instinto de caza.*

Calendario de vacunaciones

Vacuna	Inmunización básica		Dosis de recuerdo
	1ª dosis a la edad de	Repetición a la edad de	
Complejo respiratorio felino	8 semanas	11 semanas	al cabo de un año, luego anual
Leucemia felina	16 semanas	20 semanas	anual
Rabia	12 semanas		anual
Panleucopenia	16 semanas	20 semanas	anual

Nota: Los gatitos suelen tener su sistema inmunitario completamente desarrollado a la edad de cuatro semanas. Pero también puede suceder que una vacuna no logre desarrollar anticuerpos contra la enfermedad que se pretende evitar.

El cuidado del gato

Los cuidados regulares del gato no incluyen solamente mimarlo todo lo que se merece, sino también revisarlo a fondo en busca de posibles síntomas de enfermedades.

Higiene corporal

➤ A los gatos de pelo corto solamente hay que cepillarlos a diario cuando cambian el pelo. Durante el resto del año basta con frotar al gato con una manopla dándole a la vez un poco de masaje.

➤ A los gatos de pelo medio o largo hay que cepillarlos y peinarlos a diario. especialmente a los persas, porque de lo contrario se les enreda mucho el pelo.

➤ Solamente hay que bañar al gato si se ha ensuciado mucho.

➤ A los gatos que viven dentro de casa hay que recortarles las uñas con una tenacilla especial. Naturalmente, sólo hay que cortar las puntas sin riego sanguíneo. Pida al veterinario que le enseñe la forma correcta de hacerlo.

➤ Los dientes se limpian solos al masticar el pienso seco o al morder juguetes de cuero para gatos. Podemos hacer que los gatitos se acostumbren a que les lavemos los dientes. El sarro y el mal aliento de boca han de ser tratados por el veterinario.

➤ Las orejas se las podemos limpiar con una toallita húmeda. Si las orejas están muy sucias y el gato tiende a agitar la cabeza o a mantenerla inclinada de lado es probable que tenga ácaros. Llévelo al veterinario.

➤ Límpiele los ojos con una toallita húmeda

Trastornos y enfermedades

Cuando un gato está enfermo suele mostrarse apático. Come poco o nada y se rasca más de lo habitual. También es posible que beba constantemente, que tenga diarrea, que vomite, que tenga fiebre, que tosa o que se adelgace mucho. En algunos casos podrá ayudar a su felino (ver tabla de la pág. 44), pero en otros es mejor que no pierda el tiempo y que lo lleve al veterinario lo antes posible.

> *Acupresión: relajación absoluta y una buena terapia para su gato.*

SUGERENCIA

Al ir al veterinario

➤ Anote los síntomas anormales que haya podido observar en su gato.

➤ Lleve el gato en un transportín. Enséñeselo en casa para que se vaya acostumbrando a él.

➤ No lo suelte por la sala de espera y llévelo en el transportín hasta la consulta.

> 1 Cuidado de los ojos

La suciedad y las legañas hay que limpiarlas siempre con una toallita húmeda, desplazándola lateralmente o de arriba a abajo.

> 2 Revisión dental

Oprimiendo suavemente la articulación de la boca con los dedos pulgar e índice hará que su gato abra la boca y podrá ver bien sus dientes.

> 3 Cuidado del pelaje

A los gatos de pelo medio o largo hay que cepillarlos y peinarlos con frecuencia. Puede aprovechar la ocasión para ver si tiene ectoparásitos.

Enfermedades transmisibles a las personas

Rabia: Los gatos que viven en libertad han de estar vacunados contra esta enfermedad mortal. A los que no salen de casa solamente hay que vacunarlos si van a viajar al extranjero.

Toxoplasmosis: Es muy peligrosa para las mujeres embarazadas porque puede dañar seriamente al feto. Hay que advertir al ginecólogo de que se tienen gatos en casa para que le haga dos análisis de sangre con un intervalo de seis semanas.

Hongos cutáneos: Esta infección se exterioriza en forma de pérdida de pelo y aparición de eccemas. Suele ser bastante resistente, por lo que habrá que acudir al veterinario lo antes posible. Para evitar que se repita el contagio hay que desinfectar todo aquello que hubiese podido estar en contacto con el gato. Tocar al gato solamente con guantes.

Nematodos y tenias: La mejor forma de evitarlos es la desparasitación profiláctica del gato (ver pág. 41).

Pulgas y garrapatas: Para combatir las pulgas podemos emplear suspensiones bebibles, polvos o líquidos que se esparcen sobre el pelo, o champús especiales. Las garrapatas hay que sujetarlas con una pinza, girarlas y estirar con cuidado para evitar que su cabeza quede sujeta a la piel. Para combatirlas se pueden emplear aceites aromáticos, collares antiparasitarios o incluso remedios homeopáticos.

Medicina natural

Muchos aficionados a los animales desean aplicar a sus gatos tratamientos naturales y que no tengan efectos secundarios. Éstos son algunos de los más importantes:

➤ *Homeopatía.* Emplea productos en concentraciones infinitesimales que estimulan la capacidad del propio organismo para hacer frente a la enfermedad.

➤ *Acupuntura y acupresión.* Sirven para desbloquear la energía del cuerpo, acelerar los procesos de curación y fortalecer el sistema inmunitario.

➤ *Flores de Bach.* Se emplean extractos de flores para actuar

Las enfermedades y sus síntomas

Síntomas	Causas posibles (que usted mismo puede solucionar)	Vaya al veterinario si se presentan estos síntomas
Se muestra apático y no come	Aburrimiento, falta de estímulos para jugar, no le gusta la comida	Salivación, vómitos, diarrea, fiebre
Diarrea	Cambio de alimentación, comida en mal estado, come demasiado deprisa, intolerancia de la leche	Fiebre, vómitos, expulsión de parásitos, diarrea acuosa, espumosa o sanguinolenta
Vómitos	Ha comido en exceso, ha tragado pelos al limpiarse, comida muy fría	Diarrea, fiebre, vientre turgente, dolores, estreñimiento
Come en exceso	Necesita recuperarse de una convalecencia, bulimia	Alteración de la membrana nictitante, adelgazamiento, bebe mucho
Caída de pelo	Cambio de pelo	Apatía, eccemas, excrementos con gusanos
Orina demasiado	Marca el territorio, ha bebido en exceso, inquietud previa al parto	Adelgazamiento, sangre en la orina, dolores, flujo vaginal
Orina demasiado poco	Hace frío, ha corrido mucho	Vientre hinchado, duro y con dolores, apatía, fiebre
Irritación cutánea	Pequeña, de extensión limitada: exceso de pienso seco, picadura de pulga	Caída de pelo, eccema, enrojecimiento, descamación
Tos	Corrientes de aire, paso demasiado rápido de calor a frío	Fiebre, dificultad para respirar, infección ocular, salivación
Irritación en la oreja	Ligero enrojecimiento en la oreja: mordedura, garrapata	Secreción, enrojecimiento, hinchazón
Mal olor de boca	Alimento de olor muy fuerte (pescado)	Secreción salivar abundante, no come, náuseas
Estornudos	Polvo, polen o algún cuerpo extraño en la nariz	Resfriado, flujo nasal, fiebre, ojos llorosos
Intenta orinar y defecar sin conseguirlo	Estreñimiento a causa del cambio de pelo	Apatía, inquietud, dolores, deyecciones sanguinolentas
Bebe en exceso	Hace mucho calor, come mucho alimento seco	Heces anormalmente grandes, orina con frecuencia, come mucho
Estreñimiento	Exceso de pienso seco, cambio de pelo	Vientre duro, pulso acelerado, dolores

sobre determinados estados psíquicos y curar las molestias físicas relacionadas con ellos.

➤ *Masajes.* Un masaje suave ayuda a tranquilizar al animal y a hacer que se libere del estrés.

El gato enfermo

➤ Acomode al gato enfermo en una caja plana o en un cesto provisto de un cojín con funda extraíble y póngalo en un lugar caliente y sin corrientes de aire. Si la enfermedad es contagiosa y usted tiene más gatos, deberá aislar al enfermo.

➤ Para tomarle la temperatura es mejor hacerlo entre dos personas. Una lo sostiene por los hombros y las patas delanteras y la otra le pone el termómetro. Para ello hay que levantarle ligeramente la cola e introducirle el termómetro (previamente untado con vaselina) unos dos centímetros en el ano. La temperatura normal de los gatos es de 38-39,2 °C.

➤ Las pastillas se pueden introducir en un trocito de golosina o dárselas directamente. Para hacerlo hay que abrirle la boca (ver foto de la pág. 43) e introducir la pastilla lo más posible en su esófago. Manténgale luego la boca cerrada mientras le da masaje en la garganta hasta que se trague la medicina.

➤ Los líquidos (gotas, jarabes, etc.) se administran con una jeringuilla desechable (¡sin aguja!). Las gotas también se pueden verter sobre una de sus patas, y el gato las lamerá inmediatamente para limpiarse.

➤ Colirios o pomada para los ojos: Abrir ligeramente los párpados del gato con los dedos pulgar e índice y dejar caer de dos a cuatro gotas, o una pizca de pomada, bajo el párpado inferior. Con los párpados cerrados, dele un suave masaje circular para que el fármaco se reparta uniformemente.

➤ Gotas para los oídos: Levante ligeramente la oreja, introduzca la botellita en el conducto auditivo y vierta unas gotas del medicamento. Dele un poco de masaje en la base de la oreja desde el exterior para que el producto se distribuya bien.

El gato viejo

Con el paso de los años, el gato va perdiendo agilidad, le gusta permanecer mucho rato sobre su cojín y prefiere estar tranquilo. Es importante que usted le de mucho cariño y que lo lleve al veterinario cada dos o tres meses. Si su gato padece alguna enfermedad incurable o sufre unos dolores permanentes es mejor que su veterinario lo eutanasie para poner fin a esta situación. Le administrará una inyección que actuará muy rápidamente. Si lo mantiene en brazos, lo acaricia y le habla en voz baja morirá sin sentir ningún miedo. Si desea enterrarlo en su propio jardín deberá cavar un hoyo de

➤ *Los gatos de una cierta edad a veces parecen verdaderos animales de peluche.*

por lo menos un metro de profundidad. Actualmente, en muchas ciudades también hay cementerios para animales (su veterinario le podrá dar las direcciones si lo desea).

Cuestiones acerca
de la alimentación y la salud

Mi gato pesa 4,5 kg y come 170 g de comida al día. ¿No es demasiado poco?

Nuestros gatos, al igual que sus antepasados, se alimentan de presas vivas que les proporcionan todos los nutrientes que necesitan en las proporciones y cantidades correctas. Por lo tanto, su sistema digestivo no ha evolucionado durante este tiempo. Así, los actuales gatos domésticos que nunca en la vida van a ver un ratón vivo necesitan que nosotros les proporcionemos un alimento de característi-cas «ratoniles». Si este alimento está formulado de acuerdo con sus necesidades y contiene las proporciones correctas de carne y cereales, un gato adulto vivirá estupendamente comiendo «tan poco» (ver págs. 38 a 40).

¿Los problemas de comportamiento pueden tener algo que ver con la alimentación?

A veces, pero no directamente, sino actuando sobre la salud del animal. Por ejemplo, su falta de limpieza puede deberse a una infección de conductos urinarios causada por una alimentación desequilibrada. Si su dieta es demasiado rica en carbohidratos puede favorecer los estados de hiperactividad o alergias que se exteriorizarán en forma de diarrea y el gato se limpiará constantemente el pelaje o se rascará hasta sangrar, lo cual puede conducir a una interpretación falsa de su comportamiento. Las conductas anormales de origen alimentario se corrigen fácilmente proporcionándole una alimentación rica y equilibrada.

Mi gato está castrado. ¿Puedo alimentarlo solamente con pienso seco?

Si bebe lo suficiente, sí. Pero no siempre es fácil controlarlo. Si tuviese problemas de vías urinarias (cosa que suele ser frecuente en los castrados) será mejor que prescin-

Los gatos poseen un instinto innato para cazar ratones, aunque sean de juguete como éstos.

da del pienso seco. Si come mucho alimento seco y bebe poca agua, la orina es muy densa y pueden producirse cálculos.

? Mi gato está demasiado gordo. ¿Puedo hacerlo ayunar?

El ayuno no es para los gatos. Si el gato se pasa el día pidiendo porque las raciones que le da son demasiado pequeñas, añada más fibra a su alimentación. La fibra sacia el apetito pero no engorda. Estimúlelo a jugar mucho para que haga ejercicio; esto también le ayudará a mejorar la línea.

? Antes de castrar a mi gata ¿no sería mejor dejar que tuviese gatitos por lo menos una vez?

Los gatos reaccionan de una forma diferente a la de las personas. Se limitan a guiarse por su instinto reproductor. Si lo castramos, el instinto desaparece y el animal es tan feliz como antes. Ni se vuelve gordo y perezoso (a menos que esté sobrealimentado, claro), ni le cambia el carácter. Por lo tanto, para que su gata sea feliz y conserve su equilibrio físico y emocional no es necesario que tenga descendencia.

? ¿Puedo cuidar a mi gato enfermo yo mismo o tengo que llevarlo al veterinario?

Si nota que su comportamiento ha cambiado y aprecia otros síntomas que le hagan pensar en una posible enfermedad, es importante que lo lleve lo antes posible al veterinario para que éste efectúe un diagnóstico (ver tabla de la pág. 44). La mayoría de las enfermedades se curan muy bien si se interviene a tiempo. Para colaborar en el proceso de curación puede emplear los métodos de la medicina natural. También es muy importante que trate al gato con todo su cariño.

? ¿Es cierto que si el gato solamente vive dentro de casa no hace falta vacunarlo?

Es imprescindible que le ponga la vacuna trivalente, porque lo protege contra unas enfermedades infecciosas cuyos agentes pueden llegar con las suelas de los zapatos. Si desea presentar su gato a concursos y exposiciones o quiere viajar con él al extranjero será necesario que lo vacune contra la rabia, y tendrá que hacerlo por lo menos 30 días antes de emprender el viaje.

MIS CONSEJOS PERSONALES

Katrin Behrend

Consejos para el bienestar del día a día

➤ Los gatos comen hierbas para regurgitar las bolas de pelo. Existen unos productos que hacen el mismo efecto y que se les pueden dar una vez a la semana.

➤ Cepille y peine a su gato siempre a la misma hora, en el mismo sitio y en el mismo orden. Al gato le gustan estos rituales y así disfrutará más de sus cuidados.

➤ Las flores de Bach pueden ser muy útiles para influir en el estado de ánimo del gato, especialmente si se ha asustado de algo.

➤ Si acaricia bien a su gato le ayudará a relajarse: rásquele suavemente entre las orejas, bajo la barbilla y entre los omoplatos, acaríciele el cuerpo pasándole la mano abierta por los flancos y por el lomo.

➤ Las golosinas son un premio excelente. Pero para que su minino no engorde más de la cuenta es mejor que las calorías de estas golosinas se las reste luego de sus raciones diarias.

Actividades

Adiestramiento del gato

El proceso de aprendizaje de los gatitos se desarrolla durante sus primeras diez semanas de vida y se basa en tres principios:

➤ Los gatitos observan lo que hace su madre, y la imitan.

Si le proporcionamos un juguete adecuado podemos evitar que el gato haga cosas que no debe.

➤ Aprenden a base de sus buenas y malas experiencias.
➤ Cuando consiguen hacer algo, siempre vuelven a hacerlo del mismo modo.

Cuando empiece con la educación de su gatito solamente tendrá que aplicar correctamente su forma de aprender. Y si no quiere que el pequeño felino se vuelva insolente es necesario que se tome su educación muy en serio.

Normas para el adiestramiento

Es imposible obligar a un gato a hacer algo a la fuerza. Si usted desea que se adapte a sus normas tendrá que ofrecerle otras posibilidades y alternativas, y estar dispuesto a aceptar también algunas soluciones de compromiso.

➤ Ofrecer en vez de prohibir: No se limite a prohibirle al gato que arañe el sofá. En vez de eso, ofrézcale un poste para arañar y acaríciclo cada vez que se entretenga con ello.

➤ Rutina en vez de variedad: Una vez que el gato se haya acostumbrado a descansar en un lugar, a tener una determinada bandeja para hacer sus necesidades y a que le den de comer a determinadas horas, le gustará que las cosas sigan siendo siempre así. Esto le inspira seguridad y confianza.

Ir al lavabo

Los gatitos aprenden a hacer sus necesidades en un determinado lugar a la edad de tres o cuatro semanas, por lo que cuando lleguen a su casa ya sabrán ser limpios. Ocúpese de que sigan siéndolo.

> *Los gatitos aprenden jugando. Ejercitan sus músculos y aprenden a utilizar sus patas, uñas y dientes.*

➤ Al principio emplee varias cajas planas y repártalas por la casa para que siempre tengan una cerca.

➤ La bandeja para el gato adulto debe ser lo suficientemente amplia como para permitir que el gato pueda darse la vuelta cómodamente y escarbar en su interior.

➤ La bandeja para los excrementos hay que colocarla en un lugar discreto y tranquilo –lejos del comedero– y dejarla siempre en el mismo lugar cuando el gato ya se haya acostumbrado a él y lo dé por bueno.

➤ Emplear una arena que el gato ya la conozca (preguntar a su anterior dueño). Si se desea emplear otro material habrá que acostumbrarlo lentamente al cambio (ver pág. 16).

➤ Colocar una capa de arena de cuatro o cinco centímetros de espesor. Retirar diariamente los excrementos y los restos de orina. Una vez a la semana hay que vaciar por completo la bandeja y lavarla con agua hirviendo.

Necesidad de arañar

Cuando el gato araña, se afila las uñas, ejercita sus músculos y marca el territorio. Por esto necesita tener la posibilidad

Las reglas de oro del adiestramiento

✔ No intente impedir que el gato haga cosas que en él son instintivas, como arañar, marcar el territorio, trepar, jugar o cazar.

✔ Cuando haga lo que usted desea, felicítelo y dele una pequeña golosina.

✔ Si muestra un comportamiento indeseable, ofrézcale alternativas.

✔ También puede ser útil que cuando haga algo que no debe reciba un pequeño sobresalto, como por ejemplo un chorrito de agua disparado por sorpresa con una pistola de agua.

✔ Lo que hoy está prohibido no tiene que estar permitido mañana. Jamás.

de arañar también dentro de casa (ver pág. 16), de lo contrario le destrozará el mobiliario. Pero esto implica que tendrá que acostumbrarlo a usar el poste de arañar.

➤ Sitúe el arañador de forma que el gato tenga que pasar por delante de él cuando vaya de su cama al comedero. Al arañar renueva sus marcaciones y define su territorio.

Para evitar que el gato «robe» de la mesa hay que reñirle con firmeza.

➤ Si el gato araña el sofá o un sillón, no se enfade con él. Ponga el poste de arañar al lado y enséñeselo como algo muy interesante. Cuando lo acepte y empiece a emplearlo, dele una recompensa.

➤ Si usted empieza por arañar el poste, el gato es probable que se anime a imitarlo. Pero no se le ocurra nunca coger al gato y hacer que arañe el poste con sus patas; puede estar seguro de que obtendría el efecto opuesto al deseado.

➤ Un consejo: Frote el poste de arañar con hierba gatera. Su olor seguro que le incitará a arañar.

Pedir

Si cuando estamos comiendo el gato se acerca a la mesa a pedir es señal de que no tiene buenos hábitos alimentarios (ver pág. 40). Dele de comer siempre según el mismo horario y no le ofrezca nada entre horas, por mucho que pida. Si no se come su comida, no le ponga otra. Y manténgase firme. Basta con que ceda una única vez para que todo lo demás no haya servido para nada.

¡Patas fuera!

Al gato hay que prohibirle trepar a lugares tales como los fogones, la mesa de la cocina o del comedor, las cortinas, etc., y la única forma de conseguirlo es haciendo que los relacione con una experiencia desagradable. Intente esto:

➤ Cubra los fogones y/o la mesa con cinta adhesiva de doble cara. Al gato no le gustará nada notar que se le pegan las patas.

➤ Llenar un cazo con agua o una lata con canicas y colocarla de forma que se vuelque en cuanto el gato salte sobre ese lugar. No volverá a hacerlo.

➤ Cubra la parte inferior de las cortinas con una lámina de plástico duro. El gato resbalará al intentar clavar sus uñas y no lo intentará nunca más.

➤ Haga que los lugares «permitidos» le parezcan más interesantes. Esconda alguna golosina en ellos o cuelgue alguno de sus juguetes.

➤ Recompense al gato siempre que use alguna de las alternativas que se le ofrecen.

Vacaciones: ¿qué hacer?

Dejarlo en casa: El gato, donde mejor se encuentra es en el entorno que ya conoce. Por lo tanto, deberá buscar con tiempo a alguien a quien le gusten los gatos y que pueda alimentar al suyo, limpiarle la bandeja y jugar algún rato con él. Puede encontrar cuidadores de gatos a través de su veterinario o consultando en Internet.

Dejarlo en casa de otra persona: Si se lo dejamos a algún amigo no suele haber problemas. Y también puede ser aconsejable dejarlo en alguna residencia para animales que nos haya sido recomendada por otros aficionados a los gatos. En este caso es recomendable que tenga todas las vacunas al día para evitar posibles contagios (ver pág. 41).

Llevárselo: Si el gato está acostumbrado a viajar no habrá problema para llevarlo de vacaciones, especialmente si vamos siempre al mismo lugar. Pero no le gustan mucho los viajes largos y el ir cada año a lugares distintos. Si lo va a llevar al extranjero, consulte con tiempo las normativas del país al que se dirige y asegúrese de tener la cartilla de vacunaciones en regla.

El gato y el coche

Si acostumbra al gatito a ir en coche desde muy pequeño, lo incluirá en su territorio y luego no habrá ningún problema para llevarlo de vacaciones. Tenga esto en cuenta:

➤ Háblele al gato siempre en tono tranquilizador.

➤ No le de nada de comer la noche antes de salir de viaje, ni durante el trayecto.

Si no hay más remedio puede ir de viaje, pero donde se encuentra más a gusto es en casa.

➤ Durante el viaje pare algunas veces para darle de beber.

➤ Durante el viaje no lo deje salir del transportín, aunque esté muy tranquilo en su interior. Al dar un frenazo podría salir volando por el interior del coche y herir a alguno de sus ocupantes. Sujetar el transportín con un cinturón de seguridad.

➤ Nunca hay que dejar al gato mucho rato solo en el coche. Si fuese imprescindible hacerlo, aparque el coche en un lugar a la sombra. Pero cuidado: ¡Acuérdese de que el sol cambia de posición!

RECUERDE

Preparación del viaje

✔ El «documento de identidad» del gato está formado por un microchip o tatuaje y una chapita con la dirección y teléfono de su dueño.

✔ Deje que el gato vaya acostumbrándose al transportín un par de días antes de salir de viaje.

✔ Acostumbre al gatito progresivamente a ir en coche.

✔ En su equipaje ha de incluir comedero, bebedero, cubeta, arena, alimentación, juguetes, correa, peine y/o cepillo, antipulgas, medicamentos.

Por favor, juega conmigo

Los gatos necesitan jugar, así es como liberan sus ansias de moverse y ejercitan todas sus aptitudes. En la naturaleza invierten toda esta energía en la caza, pero dentro de casa tienen que jugar y mantenerse ocupados con algo. De lo contrario pueden sufrir desequilibrios y mostrarse apáticos o agresivos

Cómo juegan los gatos

Lo que más gusta a un gato es jugar con su persona de con-

Entrar y salir de una caja una y otra vez, ¡el gatito nunca se cansa de jugar!

fianza. Esto fortalece la relación y le proporciona una gran alegría que le durará toda la vida.

¡Pero cuidado!

➤ Usted le ofrece la posibilidad de jugar, pero siempre será el pequeño felino el que decidirá el momento de empezar el juego y el momento de darlo por acabado.

➤ Si siempre juega con él a la misma hora, lo estará esperando. Lo ideal es hacerlo por la noche antes de darle la comida, porque en la naturaleza los gatos antes de comerse una presa tienen que esforzarse por cazarla.

➤ La sesión de juegos tendrá que durar por lo menos de 15 a 20 minutos.

➤ A veces el gato es posible que no se muestre muy manso y al jugar le ataque con dientes y uñas. En este caso espere a que se calme antes de seguir jugando con él.

Juguetes para un gato solo

Han de ser ligeros, fáciles de empujar y de revolcarse con ellos, y el gato deberá poderlos arañar a sus anchas. Algu-

nos de los más adecuados son éstos:

para darles zarpazos:

➤ ratón de juguete, pelotitas o bolas de trapo sujetas con una goma o un cordel grueso al marco de la puerta o al poste de arañar,

➤ «cat track» (aro de plástico con una pelota de pingpong en su interior);

para cazar:

➤ pelotitas de espuma o de goma dura,

➤ tapones de corcho o canutos de cartón,

➤ juguete con hierba gatera (el gato pronto adquirirá un hábito muy saludable);

para esconderse:

➤ caja de cartón con orificio de entrada y agujeros para observar el exterior desde dentro,

➤ bolsas de papel con un agujero para la nariz del gato.

Jugar juntos

Aquí cada uno puede dar rienda suelta a su imaginación.

Esconder: Lance bolitas de papel a una caja abierta. Cuando el gato salte dentro de ella para cogerlas, haga usted como si fuese un segundo ga-

1 Acechar

El gato lleva el acecho en la sangre. Cualquier cosa que se mueva despertará su instinto de caza, es igual que se trate de un ratón o de un juguete. El «Play'n scratch» es un juguete muy divertido y que le permite ejercitar a la vez varios de sus instintos. Y también es muy divertido observarlo mientras juega.

2 Cazar

Con un certero zarpazo, el gato logra «liquidar» la pelotita de lana. Está orgulloso de lo que ha hecho y retoza con ella sobre la esterilla del juguete. Pero en cuanto la suelta, la pelota vuelve a su posición inicial y esto despierta inmediatamente su curiosidad. La captura de nuevo y el juego vuelve a empezar.

to y vaya detrás de él. Es mejor que se ponga guantes para evitar recibir algún que otro doloroso arañazo.

Squash gatuno: Tire una pelotita de goma dura contra una pared lisa. El gato saltará como un profesional y no fallará ni una.

A cazar ratones: Ate un muelle, un carrete de cartón o un ratón de juguete a un cordel y arrástrelo en zigzag por el suelo, sobre el poste de arañar y detrás de la puerta para excitar la curiosidad del gato. Deje que lo atrape con frecuencia, por-

que si no, perderá el interés en el juego.

Al acecho: Repte por el suelo a cuatro patas. Cuando el gato lo descubra correrá hacia usted. Escóndase detrás de un sillón. Después de un rato el gato volverá a buscarlo y empezará de nuevo el juego.

Pequeñas acrobacias

Con tiempo, paciencia, pequeñas recompensas y dando siempre las mismas órdenes es posible conseguir que el gato efectúe alguna que otra pequeña acrobacia. Lo importante es no forzarlo a nada y

acariciarlo, felicitarlo y recompensarlo en cada intento que haga, aunque no le salga bien.

Equilibrismo: Ponga un palo de escoba entre dos sillas (de forma que no se mueva) y enséñele al gato una pequeña golosina para incitarlo a pasar por él.

Saltos: Coloque dos sillas a una cierta distancia la una de la otra y anime al gato a saltar mostrándole una golosina. Cuando ya domine el ejercicio puede colocar un aro entre ambas sillas para conseguir que haga un verdadero «número de circo».

Cuestiones acerca de la educación y las vacaciones

Mi gato no le hace ni caso al poste de arañar que compré para él. ¿Qué puedo hacer?

A lo mejor no lo ha colocado en el lugar idóneo. A los gatos les gusta estirar sus uñas cuando acaban de despertarse. Por lo tanto, el poste deberá estar situado cerca de su cama. También es importante que el material sea el adecuado, porque los gatos prefieren arañar superficies ásperas y en las que sus uñas puedan hundirse bien. Emplee un juguete (ratón atado de un cordel) para atraer a su minino hasta el poste de arañar. Cuando capture el juguete arañará también el poste. Le aconsejo que nunca lleve al gato en brazos hasta el arañador ni le obligue a poner sus patas sobre él. Odia que le hagan esto, y lo más probable es que nunca vuelva a acercarse por ahí.

Quería enseñarle a mi gato a hacer sus necesidades en la cubeta con arena, pero se niega.

Los gatos detestan sentirse obligados a algo. Si usted lo coloca en la cubeta y lo sujeta para que se quede allí, la evitará. Intente volver a empezar desde el principio. Ponga la bandeja en el lugar en el que ahora acostumbra a defecar. Dele una pequeña recompensa si la utiliza, así recuperará su confianza. Pero esto puede durar algún tiempo, porque los gatos son muy fieles a sus costumbres.

En el supermercado he encontrado una arena para gatos muy barata. ¿Puedo pasar de la que empleo actualmente a esta nueva?

El gato es un animal de costumbres y probablemente no le guste nada un cambio súbito, incluso es posible que deje de usar la cubeta. Mezcle la arena nueva con la vieja en la proporción de 1:9 y vaya aumentando el porcentaje en cada cambio. Cuando el gato ya haya aceptado la arena nueva, no vuelva a cambiar de marca. Esto les ahorrará pro-

El gatito necesita ejercitar sus uñas. Con un juguete adecuado evitaremos que haga destrozos en la casa.

blemas y estrés a ambos. Cualquier cambio que deba realizar en el entorno del gato, hágalo de forma progresiva.

❓ Mi gato está solo durante todo el día y desde hace algún tiempo no hace más que disparates. ¿Qué le pasa?
Me parece que su gato simplemente se aburre. Es decir, no sabe en qué invertir sus energías durante su ausencia. Establezca una sesión de juegos a una hora fija del día para que el gato se pueda acostumbrar a ello. Encárguese de que durante este rato haga mucho ejercicio a base de correr y saltar. Incítelo a trepar, a acechar (esto también consume energía), a perseguirle, etc., y esparza por el suelo algunas hojas secas de hierba gatera (la venden en las tiendas de animales). El ejercicio hará que el gato ya no se sienta estresado. Para que no le destroce la casa durante el día, proporciónele un juguete con el que pueda jugar él solo (ver pág. 54).

❓ Cuando llevo a mi gato en coche, segrega mucha saliva, se muestra nervioso y a veces vomita un poco. ¿Qué le pasa?
No es un caso muy frecuente, pero me parece que lo que le pasa a su gato es que se marea. Si lo lleva muy pocas veces en coche es posible que el movimiento de éste le afecte hasta hacer que se maree. La noche antes del viaje en coche no le dé nada de comer. Media hora antes de salir de viaje, dele una o dos cucharaditas de infusión de jengibre con una pipeta o con una jeringuilla de un solo uso sin aguja. Esto le tranquilizará el estómago.

❓ Tengo que viajar al extranjero. Si llevo el gato en tren o en avión, ¿viajará en un compartimiento separado de mí?
En los trenes lo habitual es que los gatos puedan viajar gratuitamente en el mismo compartimiento que los pasajeros siempre que vayan en un transportín cerrado. No lo deje salir durante el viaje porque podría asustarse y echar a correr. En la mayoría de los vuelos, de línea también puede ir en el compartimiento de pasajeros con su transportín, pero dado que no todas las compañías aéreas tienen las mismas normativas al respecto, es mejor que se informe con tiempo. Durante el viaje dele poca comida y mucha agua.

Katrin Behrend

MIS CONSEJOS PERSONALES

Cómo adiestrar al gato de forma sencilla

➤ Enséñele a su gato que usted tiene tanta paciencia y tanta constancia como él. Por mucho que él le pida, usted no cederá nunca en lo más mínimo.

➤ Actúe con firmeza: si quiere que pierda la costumbre de subirse a la mesa del comedor, ríñalo cada vez que lo haga. tanto si la mesa está puesta como si no.

➤ Cuando riña al gato no pronuncie nunca su nombre.

➤ La mejor forma de educarlo es haciendo que desvíe su atención hacia otra cosa. Hágalo cada vez que haga algo que usted no desea. Por ejemplo, si el gato se pone a jugar con el teclado de su ordenador, atraiga su atención con un ratón de juguete con muelles.

➤ Adiéstrelo a base de reforzar su conducta positiva, es decir, dándole pequeñas recompensas tales como golosinas, juegos o caricias cada vez que realice un «ejercicio» correctamente o deje de hacer algo que no debía.

MASAJE PARA GATOS

El masaje no solamente le gusta mucho sino que además es muy bueno para su **salud.** Aproveche los ratos en que esté mimoso para darle una buena **sesión de masajes.** Empiece detrás de las orejas y masajee todo su cuerpo ejerciendo una presión suave hasta llegar a la base de la cola. Si el gato ronronea es señal de que le gusta.

Una garantía de bienestar para su gato

CIRCUITO DE AVENTURAS

Usted vive en el centro de la ciudad y su gato no tiene posibilidad alguna de salir al exterior. ¡Ningún problema! Establezca en su casa un **«circuito»** a media altura por el que el gato pueda pasear para controlar diariamente todo su territorio. Puede unir las estanterías y los armarios con pasarelas, colocar **escondrijos** y hacerlos accesibles al gato mediante cuerdas o escaleras

CAMBIO DE JUGUETES

Durante su ausencia puede dejar que el gato se entretenga con varios juguetes. Pero como que al cabo de algún tiempo ya se habrá aburrido de ellos, recoja los **juguetes «viejos»** y cámbieselos por otros nuevos. Ahora volverá a pasárselo en grande.

GATOS DE LA TERCERA EDAD

Si su gato ya tiene una edad avanzada es probable que no pueda limpiarse tan bien co antes. Necesitará que usted le **ayude**. Cepíllelo **con frecuencia** para que no se trague más pelos de la cuenta y pueda sufrir una oclusión intestinal. Y dado que ahora ya corretea tanto, también necesitará que le hag la manicura de vez en cuando.

UN POSTE HABITABLE

El **poste para arañar** le será mucho más interesante si lo convierte en un poste-vivienda. Póngale cuerdas para trepar, tablas de reposo a **distintas alturas** (recubiertas de material áspero), y escondrijos blandos en los que pueda sentarse, trepar, dormir o vagar a sus anchas. Cuelgue también diversos juguetes.

JUEGOS

Para que el gato se conserve sano y equilibrado es imprescindible jugar con él cada día. Pero es necesario que él también disfrute del juego. Ponga un poco de **acción** e imite su comportamiento a la hora de **cazar:** acechar, capturar, y jugar con la presa.

Nuestros 10 consejos básicos

¡HORA DE COMER!

Como el gato casero no tiene que esforzarse para cazar su sustento, se vuelve perezoso y se aburre. Estimúlelo a que **busque su comida** y esconda algunas golosinas para gato en diversos sitios de la casa. Así el animal tendrá que esforzarse un poco y **seguirá la pista** de su comida hasta dar con ella.

UNA ORGÍA DE AROMAS

Hay algunos olores por los que el gato siente una especial atracción. El de la **menta gatera** es uno de ellos. Dele de vez en cuando un pequeño **cojín** relleno de esta hierba para que juegue con él. El arañador y el poste para arañar también los encontrará mucho más atractivos si han sido perfumados con este aroma.

FENG SHUI

Su gato sabe instintivamente cuáles son los lugares de la casa que más le convienen, sea para comer, para dormir, para limpiarse, para jugar o para observar el mundo exterior. Suele tratarse de lugares con determinados **flujos de energía.** Acepte sus elecciones y le ayudará a vivir en armonía.

BUENA COMPAÑIA

No siempre es fácil encontrar un nuevo hogar para un gato adulto. Sin embargo tienen unas cuantas cosas a su favor: son limpios, independientes y fáciles de cuidar. Pueden ser un **compañero ideal** para una persona mayor.

La autora

Desde muy pequeña, Katrin Behrend siempre ha vivido rodeada de perros y gatos, y actualmente comparte su casa con varios felinos. Es periodista y trabaja en la editorial GU como autora de libros de animales; algunas de sus obras han tenido mucho éxito. Actualmente vive entre Munich e Italia, y procura ocuparse mucho de los gatos que viven en su zona.

Fotógrafos

Artemis View/Elsner: pág. 13 izq., cent., 29 izq., der.; Binder: pág. 12 izq., 31 arriba der., 33; Cogis/Lanceau: pág. 12 der.; Giel: pág. 2; Juniors/Born: pág. 26, 41; Juniors/Farkaschovsky: pág. 36/37; Juniors/Groth: pág. 20/21; Juniors/Kuczka: pág. 28; Juniors/Oasis Inc.: pág. 3; Juniors/Wegler: pág. 6, 10 izq., cent., 11 izq., cent., der., 12 cent., 13 der., 16, 27; Kuhn: pág 8, 31 abajo, 34; Shanz: Portada, int. de portada/1, 4/5, 9, 10 der., 14, 15, 17, 18, 22, 23, 30 izq., der., 31 arriba izq., cent., der., 32, 38, 39, 40, 42, 43 izqu, cent., der., 45, 46, 48/49, 50, 51, 52, 53, 54, 55 izqu., der., 56, 58, contraportada izq., cent., der.; Wegler: 24, 25 (todas).

Direcciones de interés

Asociación Felina de Catalunya (ASFEC)
Jaume Isern, 28
08032 MATARÓ
Tel.: 654 25 22 95/Fax: 93 790 63 23
http://www.geocities.com/asfec/asfec

Asociación Felina Gallega (ASFEGA)
General Sanjurjo, 42, 9° izda.
15006 LA CORUÑA

Club Felino de Madrid (CFM)
Baeza, 4, oficina 9
28002 MADRID

Cat Fanciers' Association (CFA)
Box 1005
Manasquan, NJ 08736
cfa@cfainc.org
http://www.cfainc.org/

Cat Fanciers' Federation (CFF)
Box 661
Gratis, OH 45330
513-787-9009
http://www.cffinc.org/

The International Cat Association, Inc. (TICA)
Box 2684
Harlingen, TX 78551
210-428-8046
http://www.tica.org/

ADVERTENCIAS

➤ Para no poner en peligro la salud del animal ni la de las personas que conviven con él es necesario que el gato esté vacunado y desparasitado.

➤ Dado que algunas enfermedades y algunos parásitos son trasmisibles al hombre, en caso de duda hay que acudir siempre al veterinario.

➤ Las personas que tengan alergia al pelo de los gatos deberán consultar a su médico antes de comprarse un gato.

➤ Existen seguros que cubren los daños que pueda hacer el gato a terceras personas.

Mi gato

Nombre: _____

Tienda donde lo adquirí: _____

Así le doy de comer:

_____

_____

_____

Juegos y juguetes favoritos:

_____

_____

_____

Así le gusta que lo cuiden:

_____

_____

_____

Éstas son sus cosas:

_____

_____

_____

Características particulares:

_____

_____

Éste es su veterinario:

_____

_____

Título de la edición original: **Katzen.**

Es propiedad, 2002
© **Gräfe und Unzer Verlag GmbH,** Munich.

© de la traducción: **Enrique Dauner**.

© de la edición en castellano, 2007:
Editorial Hispano Europea, S. A.
Primer de Maig, 21 - Pol. Ind. gran Via Sud
08908 L'Hospitalet - Barcelona (España).
E-mail: hispanoeuropea@hispanoeuropea.com

Depósito Legal: B. 05007-2007.

ISBN: 978-84-255-1502-6.

Tercera edición

Consulte nuestra web:
www.hispanoeuropea.com

IMPRESO EN ESPAÑA · PRINTED IN SPAIN

LIMPERGRAF, S. L. - Mogoda, 29-31 (Pol. Ind. Can Salvatella) - 08210 Barberà del Vallès